T5-BBK-286

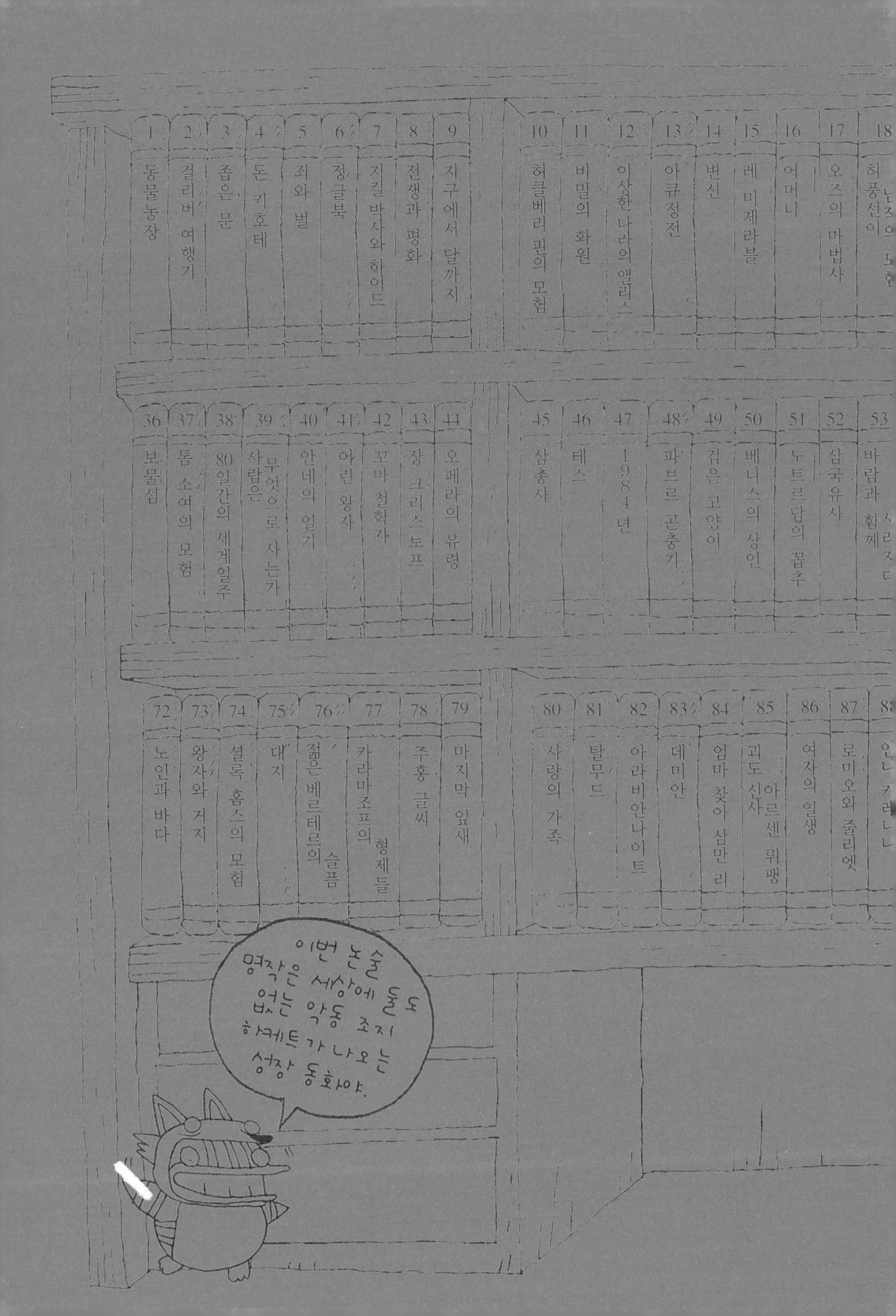
1 동물농장
2 걸리버 여행기
3 좁은 문
4 돈 키호테
5 죄와 벌
6 정글북
7 지킬 박사와 하이드
8 전쟁과 평화
9 지구에서 달까지
10 허클베리 핀의 모험
11 비밀의 화원
12 이상한 나라의 앨리스
13 아큐정전
14 변신
15 레 미제라블
16 어머니
17 오즈의 마법사
36 보물섬
37 톰 소여의 모험
38 80일간의 세계일주
39 사람은 무엇으로 사는가
40 안네의 일기
41 어린 왕자
42 꼬마 철학자
43 장 크리스토프
44 오페라의 유령
45 삼총사
46 테스
47 1984년
48 파브르 곤충기
49 검은 고양이
50 베니스의 상인
51 노트르담의 꼽추
52 삼국유사
72 노인과 바다
73 왕자와 거지
74 셜록 홈스의 모험
75 대지
76 젊은 베르테르의 슬픔
77 카라마조프의 형제들
78 주홍 글씨
79 마지막 잎새
80 사랑의 가족
81 탈무드
82 아라비안나이트
83 데미안
84 엄마 찾아 삼만 리
85 괴도 신사 아르센 뤼팽
86 여자의 일생
87 로미오와 줄리엣
이번 논술 명작은 세상에 둘도 없는 악동 조지 하케트가 나오는 성장 동화야.

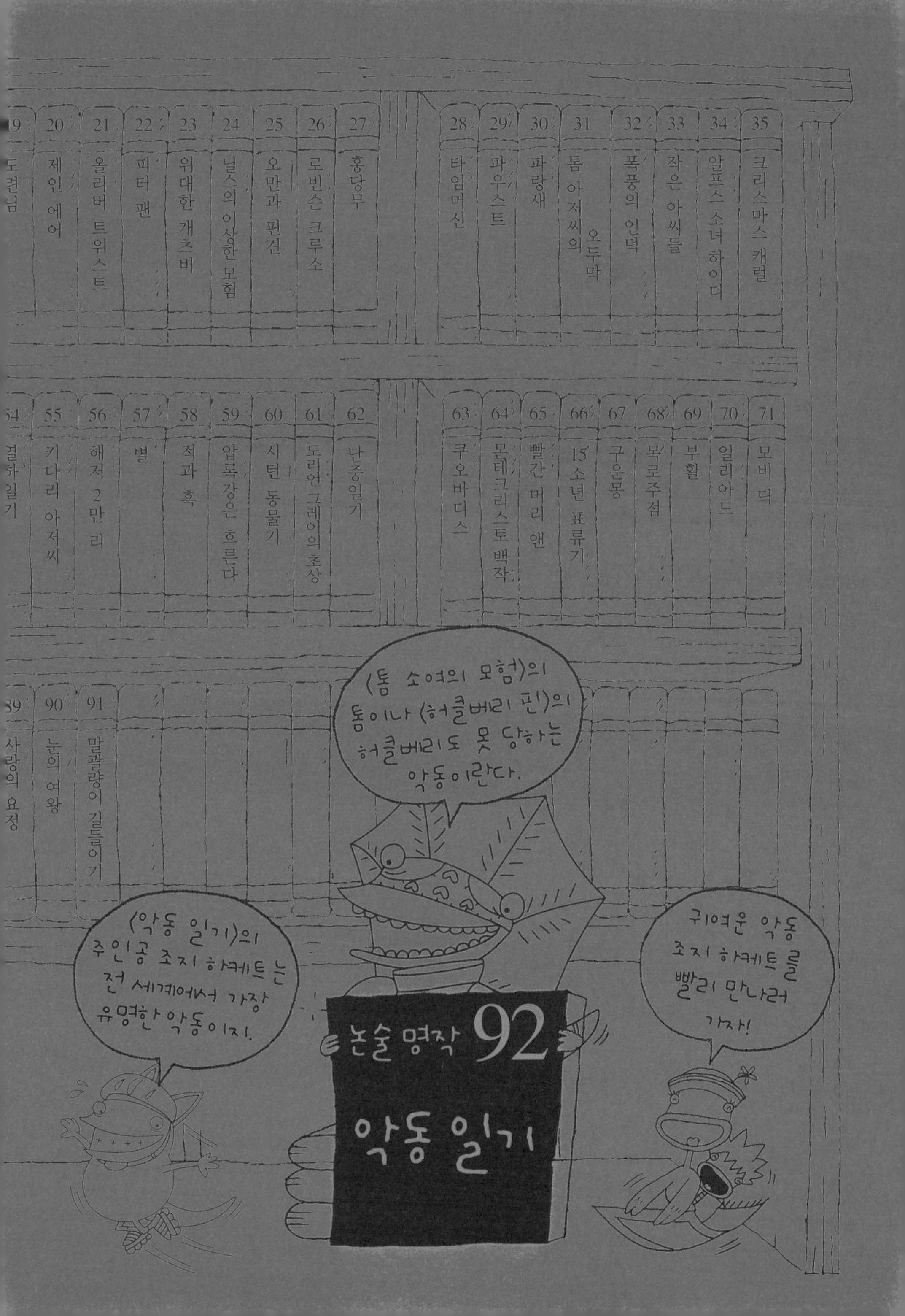
20 제인 에어
21 올리버 트위스트
22 피터 팬
23 위대한 개츠비
24 닐스의 이상한 모험
25 오만과 편견
26 로빈슨 크루소
27 홍당무
28 타임머신
29 파우스트
30 파랑새
31 톰 아저씨의 오두막
32 폭풍의 언덕
33 작은 아씨들
34 알프스 소녀 하이디
35 크리스마스 캐럴
55 키다리 아저씨
56 해저 2만 리
57 별
58 적과 흑
59 압록강은 흐른다
60 시턴 동물기
61 도리언 그레이의 초상
62 난중일기
63 쿠오바디스
64 몬테크리스토 백작
65 빨간 머리 앤
66 15소년 표류기
67 구운몽
68 목로주점
69 부활
70 일리아드
71 모비 딕
89 사랑의 요정
90 눈의 여왕
91 말괄량이 길들이기
〈톰 소여의 모험〉의 톰이나 〈허클베리 핀〉의 허클베리도 못 당하는 악동이란다.
〈악동 일기〉의 주인공 조지 하케트는 전 세계에서 가장 유명한 악동이지.
귀여운 악동 조지 하케트를 빨리 만나러 가자!
논술 명작 92
악동 일기

아이세움 논술 | 명작 92

악동 일기

감수 방민호

서울대 국문과, 같은 과 대학원을 졸업했습니다. 제1회 창비신인평론상과 제18회 김달진문학상을 수상했으며, 현재 서울대 국문과 교수로 재직 중입니다. 〈비평의 도그마를 넘어〉, 〈문명의 감각〉을 비롯한 많은 책을 쓰고 엮었습니다.

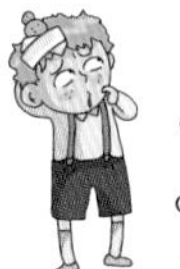

아이세움 논술 | 명작 92

악동 일기

원작 빅토리아 빅터 | **엮음** 현소 | **그림** 김영랑 | **감수** 방민호

펴낸날 2011년 3월 15일 초판 1쇄, 2013년 10월 25일 초판 4쇄

펴낸이 김영진

본부장 조은희 | **사업실장** 이영호

편집장 박철주 | **편집 · 진행** 박은식, 백한별, 이미호, 안아름 | **디자인** 강륜아

펴낸곳 (주)미래엔 | **주소** 서울시 서초구 잠원동 41-10

전화 마케팅 02)3475-3843~4 편집 02)3475-3924 | **팩스** 02)541-8249

등록 1950년 11월 1일 제16-67호 | **홈페이지** www.i-seum.com

ISBN 978-89-378-4981-7 74840

ISBN 978-89-378-4116-3 (세트)

· 책값은 뒤표지에 있습니다.

· 파본은 구입처에서 교환해 드리며, 관련 법령에 따라 환불해 드립니다. 다만, 제품 훼손 시 환불이 불가능합니다.

Mirae N 아이세움은 (주)미래엔의 어린이책 브랜드입니다.

아이세움 논술 | 명작 92

악동 일기

빅토리아 빅터 원작
현소 엮음 | 김영랑 그림

| 머리말 |

명작은 인간과 사회를 이해하는 첫걸음입니다

많은 사람들에게 재미와 감동을 주는 탁월한 작품을 명작이라고 합니다. 그중 시간과 공간을 초월하여 변함없이 사랑받아온 작품을 고전이라고 하지요.

우리는 어릴 때부터 고전과 명작 읽기의 중요성에 대해 배워 왔습니다. 고전 명작이 소중한 이유는 그 안에 인간과 사회에 대한 작가의 치열한 상념이 녹아 있기 때문입니다. 탄탄한 서사 구조 속에 재미와 감동은 물론, 시대를 대변하는 보편적인 가치가 반영되어 있기 때문입니다.

따라서 고전 명작을 읽을 때에는 작품 속 주제 의식이나 작가의 세계관을 올바로 이해하려는 노력이 필요합니다. 작가가 작품을 쓰던 당시의 사회적 배경이 어떠하였는지, 또 작품에서 가장 중요하게 다루고 있는 논쟁거리가 무엇인지에 대해 깊이 고민해야 합니다. 주제, 줄거리 등을 단편적으로 암기하는 것이 아니라 작가와 교감을 통해 인간과 사회에 대한 이해를 넓혀 가는 것입니다. 이런 노력이 뒷받침되어야 우리는 비로소 고전 명작을 읽었다라고 이야기할 수 있습니다.

〈아이세움 논술 | 명작〉은 고전 명작이 어른들의 전유물이라는 편견을 버리고, 재미있는 삽화와 쉬운 문장으로 구성하였습니다. 그리고 작품을 읽기 전에 작품을 둘러싼 시대적 배경을 알려 주고 읽은 후에는 작품에 대해서 토론하면서 생각할 수 있도록 구성되어 있습니다. 어린 독자들이 고전에 친숙해질 수 있는 기회를 주는 책이라고 생각합니다.

어린 시절에 읽는 양서 한 권이 어린이의 미래를 바꿉니다. 부디 〈아이세움 논술 | 명작〉으로 세계를 바라보는 안목을 높이고 자기만의 세계를 공고히 다져 나가기 바랍니다.

서울대학교 국어국문학과 교수
방민호

명작 읽기의 소중함

열심히 책만 읽기에는 너무 고단한 우리 학생들에게 다시 '논술' 열풍이 불고 있다. 학생들이 스스로 즐겨 그렇게 된 것은 아니지만, 학생들을 위해 결코 나쁜 일이라고만 말할 수는 없을 것이다.

새삼스러운 얘기일 터이지만 좋은 글을 쓸 수 있는 가장 빠른 길은 "많이 읽고(다독多讀) · 많이 쓰고(다작多作) · 많이 생각(다상량多商量)" 하는 삼다(三多)밖에 다른 것이 없다.

먼저 다독이 문제다. 많이 읽는다고 해서 아무 책이나 마구잡이로 읽는 것을 다독이라고 하지는 않는다. 많이 읽되, 좋은 책을 읽을 때 그것이 다독이다. 그렇다면 어떤 책이 좋은 책일까?

우선 고전이라 할 명작에는 사람이 세상을 살면서 알아야 할 온갖 삶의 지혜와 가치가 담겨 있다. 가령 〈지킬 박사와 하이드〉에서는 인간 내면에 혼재해 있는 선과 악의 대립을, 〈동물농장〉

에서는 삶을 한없이 타락시키는 전체주의와 아름다운 삶을 지향하는 인간의 무한한 이상의 끊임없는 갈등과 투쟁에 대한 반추를 해 볼 수 있다. 이런 고전을 재미있게 읽고 생각하는 기회를 갖는 것이 바로 좋은 글을 쓸 수 있는 바탕이다. 문제는 고전이 너무 어렵고 분량이 방대하다는 점이다.

이번에 출간된 〈아이세움 논술 | 명작〉은 원전의 내용을 재구성해 어린 학생들이 쉽게 고전과 친해지도록 만들었다. 지루함을 덜기 위해 캐릭터를 사용해서 그 캐릭터들과 끊임없이 교감하며 끝까지 책을 손에서 놓지 못하게 만든 것도 이 시리즈의 특색이요 장점일 터이다. 책 뒤에 논술을 학습할 수 있도록 논술 워크북과 가이드북을 제공하여 '학습과 논술' 이라는 두 문제를 다 해결할 수 있도록 배려한 점도 주목할 만하다. 어린 학생들이 편안하고 소중한 독서 경험을 하리라 본다.

물론 이 명작선은 완역본이 아니므로 이것만 읽어서는 해당 작품을 제대로 읽었다고 말할 수 없을 것이다. 그러나 훗날 학생들이 성장하여 완역본으로 다시 읽고 올바르게 이해하는 데 큰 도움이 되도록 세심한 배려를 했다.

이 점도 이 시리즈가 귀하고 값진 이유이다.

시인

신경림

| 차 례 |

안녕, 난 뒤뚱이야.
<악동 일기>의 주인공
조지 하케트의 말썽은
상상을 초월해.

난 번빠리.
조지가 그 말썽을
일기에 꼬박꼬박
적었대.

PART 1 명작 살펴보기

PART 2 명작 읽기

PART 3 깊어지는 논술

PART 4 논술 워크북

세상에서 제일 유명한 악동이 쓴 일기 빨리 보고 싶어.

조지 하케트가 어떤 말썽을 일으키는지 빨리 가 보자!

박테리아 고로케 튜브 팻티맨

PART 1

명작 살펴보기

귀여운 악동
조지 하케트를 만나 볼까?

명작 살펴보기

만화로 미리 보기

제발 오늘만은 얌전히 있어 주렴!

조지는 언제나 말썽을 부리지만 미워할 수만은 없단다.

하케트 씨 집은 하루도 조용할 날이 없어요. 막내 조지 하케트의 말썽 때문이지요. 도저히 상상도 할 수 없는 말썽을 끊이지 않고 부리는 조지 때문에 부모님과 세 누나들은 하루에도 몇 번씩 가슴을 쓸어내려야만 했어요.

산타 할아버지 들어오시기 편하라고 굴뚝에 화약을 조금 넣었을 뿐인데요.
정말 못 말리는 아이야.
내 동생이라는 게 정말 창피해.
조지, 너 때문에 집이 다 무너졌잖아!

늘 말썽만 부리는 조지가 어른들에게 가장 많이 듣는 말은 "이 녀석, 거기 서지 못해!" 라는 고함과 호통이에요. 대체 사람들은 열 살 소년 조지에게 왜 이렇게 화를 내는 걸까요?

악동 조지 하케트를 만나러 가 볼까요?

어떤 이야기인가요?

장난꾸러기 소년의 일기장 속으로

〈악동 일기〉는 미국 작가 메타 빅토리아 빅터가 1880년에 발표한 성장 소설이에요. 주인공 조지 하케트는 이제 열 살이 된 어린 소년이에요. 늘 말썽을 부려 집안은 물론 마을까지 조용할 날이 없지만 항상 착한 아이가 되고 싶다는 소망을 갖고 있어요. 열 살 생일 선물로 받은 일기장이 조지의 가장 가까운 친구랍니다.

점잖고 엄격한 아버지, 자애로운 어머니, 예쁜 세 누나, 그리고 마을 사람들과 친구들, 선생님들 사이에 벌어지는 일들이 조지의 일기장에 모두 적혀 있어요. 이 책은 조지의 일기장에 적힌 이야기들로 이루어져 있답니다.

사고뭉치 조지 하케트

조지가 말썽만 부리자 아버지는 조지를 일부러 집에서 멀리 떨어진 기숙 학교에 보내요. 그러나 기숙 학교 선생님은 조지를 채 몇 달이 지나지도 않아 퇴학시키고, 마을 어른들은 무슨 일만 생기면 조지의 짓이라고 말해요. 사람들은 조지 하케트를 이렇게 불러요. 천하의 몹쓸 녀석, 구제 불능의 문제아, 꼬마 악마, 장래 교수형감……. 대체 사람들은 열 살밖에 안 된 어린 소년을 왜 이렇게 무시무시한 별명으로 부르며 화를 내는 걸까요? 조지를 왜 그렇게 미워하는 걸까요? 조지 하케트가 어떤 아이인지 궁금하다면, 책장을 넘겨 보세요.

조지 하케트의
장난이 얼마나 심했으면
이렇게 무시무시한
별명이 붙었을까?

쿵!

한눈에 살펴보기
나는 조지의 어머니. 오, 조지야. 나는 네가 눈에 보여도 걱정, 안 보여도 걱정이구나.
나는 조지의 아버지. 조지의 말썽이 멈출 날이 과연 올지 걱정이야.
나는 조지 하케트. 내가 제일 좋아하는 건 내 일기장이야.
일기장
조지 하케트

Start 발단

열 살이 된 조지 하케트는 일기장을 생일 선물로 받는다. 마을에서 유명한 말썽쟁이인 조지는 세 명의 누나들을 곤란하게 만드는 장난을 많이 친다. 장난을 친 뒤에 누나들에게 혼날 것이 두려워 집을 나오기도 하지만, 그래도 집을 그리워한다.

expansion 전개

심한 말썽에 지친 가족들은 조지를 집에서 멀리 떨어진 기숙 학교에 보낸다. 기숙 학교에 간 조지는 선생님의 가발을 태우는 말썽을 피우는 등 장난을 멈추지 않는다. 결국 학교에서 퇴학당한 조지는 집으로 돌아온다.

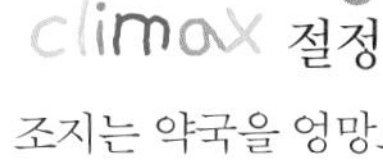

climax 절정

조지는 약국을 엉망으로 만들고, 여자아이들을 물에 빠뜨리고, 만우절에는 불이 날 때만 울리는 마을 회관의 종을 울려 마을 사람들이 한밤중에 거리에 뛰쳐나오도록 하는 등 심한 장난으로 마을의 골칫거리가 된다.

ending 결말

혼자서 열기구를 타고 외딴 섬에서 표류하다 돌아온 사건은 읍내 신문에도 대문짝만 하게 실려 인근에서 그를 모르는 사람이 없도록 만든다. 조지는 착한 아이가 될 때까지 일기를 쓰지 않겠다고 결심한다.

나는 피킨스 선생님 부인. 조지는 못된 도깨비라니까요.
이제 접어.
나는 피킨스 선생님. 조지 때문에 대머리가 될 판이야.
나는 벳시 아주머니. 수잔, 릴리, 베시! 노처녀라고 날 놀렸지? 두고 보자!
나는 슬로쿰 목사. 조지가 쏜 총에 맞아 죽을 뻔했어.

나는 조지의 누나
릴리. 조지 때문에 집안이
조용할 날이 없다니까.
나도 조지의 누나
베시. 조지는 아무도
못 말리는 말썽꾸러기야.
나는 빌
스미스. 노총각이
뭐 어때서?
나는 닥터 무어.
수잔과 결혼하고 싶지만
조지 때문에 망설여져.
나는 조지의 누나
수잔. 그래도 조지가
없으면 심심해.

이렇게 읽어 보세요!

역사상 최고의 악동!

문학 작품에서 악동이 등장하는 경우는 아주 많아요. 잘 알려진 톰 소여, 허클베리 핀 등도 악동이라고 할 수 있지요. 그런데 조지 하케트는 악명 높은 어떤 악동에 비해서도 절대 뒤지지 않는 최강의 말썽꾸러기입니다.

조지가 저지르는 말썽을 보면, 기가 막힙니다. 가출을 하고, 마을 회관을 불태우고, 약국을 엉망으로 만들고, 기구를 타고 홀로 무인도에 떨어지고……. 도저히 열 살 소년이 저지를 수 없을 것 같은 일을 태연하게 해치우는 게 악동 조지 하케트이지요. 조지의 말썽이 어찌나 기상천외하고 규모가 큰지, 조지에게 당한 어른들에게 동정이 갈 정도랍니다.

▲ 빅토리아 빅터의 또 다른 작품인 〈앨리스 와일드〉의 삽화예요.

참을 수 없이 터져나오는 폭소!

조지 하케트는
악동이지만 가족을
사랑할 줄 아는 정 많은
아이야.

조지는 어떻게 해 볼 수 없는 말썽쟁이지만, 한편으로 순진한 구석도 있는 열 살 소년입니다. 조지는 어떤 일을 할 때 선악을 구별하거나, 해야 할 일과 하지 말아야 할 일을 분별하는 법을 아직 알지 못하는 어린아이지요. 그래서 조지는 말썽을 부려 놓고, 어른들이 왜 그렇게 화를 내는지 종종 이해하지 못합니다.

조지의 순진함 혹은 능청스러움은 더욱 어른들의 화를 돋웁니다. 어른들은 황당하고, 기가 막혀 어쩔 줄 모르다가 마침내 두 손을 들고 말지요. 어린아이에게 온 마을 어른들이 속수무책으로 당하는 모습이 읽는 사람에게 참을 수 없는 폭소를 터뜨리게 합니다.

조지 하케트의 우주적인 말썽에 마음껏 웃으면서 이 책을 읽어 보세요.

Yours for Reform
Georgie Hackett

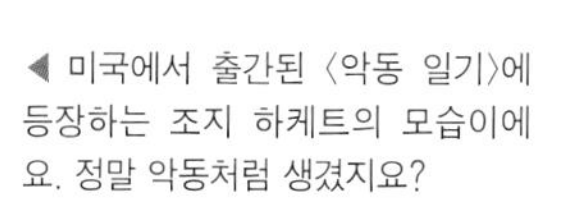
◀ 미국에서 출간된 〈악동 일기〉에 등장하는 조지 하케트의 모습이에요. 정말 악동처럼 생겼지요?

조지 하케트의
상상을 초월하는 장난을
읽다 보면 배꼽이
빠질지도 몰라.

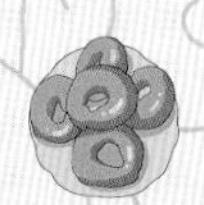
잠시 휴식! 베이글을 먹고 〈악동 일기〉를 읽어 보세요!

PART 2

명작 읽기

악동 조지 하케트의
일기를 같이 읽어 볼래?

명작 읽기

1장
생일 선물로 받은 일기장

내 일기장! 나에게도 일기장이 생겼어요. 열 살 생일 선물로 받았답니다. 내 생일 전날이었어요. 어머니가 나를 부르시더니 물어보셨어요.

"얘, 네 생일 선물로 뭐가 좋을까? 받고 싶은 걸 말해 보렴, 조지야."

"일기장이요."

나는 주저하지 않고 대답했어요. 나에게는 세 누나가 있는데, 모두 일기장에 매일 밤 일기를 쓰는 것이 부러웠거든요. 이제는 나도 일기를 쓸 만큼 컸다고 생각해요. 나는 앞으로 일기를 꼬박꼬박 써야겠다고 다짐했습니다.

그런데 일기를 한 번도 써 본 적이 없어서 어떻게 써야 할지 잘 모르겠는 거예요. 그래서 나는 릴리 누나의 일기장을 베끼기로 했어요. 릴리 누나의 방으로 살금살금 올라간 나는 서랍 열쇠를 찾아 일기장을 꺼내 읽었습니다. 그리고 적당한 부분을 찾아 차분히 베껴 썼지요.

일기는 내가 경험한
하루 일 중에서 기억에
남은 일을 사실대로
쓰면 되는 거야.

일기장을 들고서 응접실에 앉아 있는데, 빌 스미스 씨가 집에 찾아왔어요. 보나마나 또 릴리 누나를 만나러 온 거지요. 누나들은 키만 크고 못생긴 노총각 스미스 씨를 늘 뒤에서 비웃는답니다. 불쌍한 아저씨는 그 사실을 까맣게 모르고 있지요.

"조지야, 일기를 쓰니? 너 아주 훌륭하구나."

스미스 씨가 사탕까지 주며 내 일기장에 관심을 보여 나는 일기장을 아저씨에게 주었습니다. 그런데 이 예의 없는 스미스 씨가 내가 쓴 일기를 큰 소리로 읽는 거예요.

멍청한 늙다리 빌 스미스 씨는 제발 자기 집이나 지키고 있으면 좋겠다. 그는 지난 일요일 밤에도 우리 집에 왔다. 나는 그가 절대, 절대, 절대로 좋아지지 않을 것이다. 하지만 어머니는 그가 부자라며 청혼을 하면 받아들이라고 하신다. 오, 정말 끔찍한 일이다. 그 솥뚜껑 같은 무지막지한 손하며, 촌스러운 넥타이라니!

그가 지난 일요일 밤 떠나기 전 내게 입을 맞추려고 했을 때는 정말 참을 수 없었다. 그와 입을 맞추느니 차라리 바닷가재와 입을 맞추겠다.

아, 내가 사랑하는 몬테규 드 존스는 왜 가난한 걸까! 그가 빌 스미스 씨의 반만큼만 부자였더라면 좋았을 텐데……. 인생이란 얼마나 엉터리인가.

얼굴이 하얗게 질린 릴리 누나가 달려들어 뺏으려고 했지만 스미스 씨는 일기장을 높이 치켜들었어요. 다 읽고 난 스미스 씨가 글쎄 내게 소리를 치지 뭐예요.

"조지 하케트, 너 왜 이런 걸 썼지?"

뭐? 나하고 입을
맞추느니 바닷가재와 입을
맞추는 게 낫겠다고?
안 돼요! 그만
읽으세요!
릴리 누나
일기장을 베낀
것뿐이라고요.

나는 스미스 씨에게 똑똑히 말했어요.

"그건 릴리 누나 일기장에서 베낀 거라고요."

얼굴이 붉으락푸르락해진 스미스 씨는 모자를 들고 나가 버렸어요.

"조지, 너 또 사고를 쳤구나!"

베시 누나가 울상을 짓고 있는 릴리 누나를 보고는 내게 소리쳤어요.

"거기 서! 조지 하케트!"

릴리 누나가 나를 잡으려고 달려왔지만 나는 잽싸게 도망을 쳤지요. 이 일로 또 온 식구가 화를 내며 나를 나무라는데 나는 정말이지 너무 억울해요. 뭐, 내가 결혼을 망쳐 버렸고 수십만 달러가 날아가게 생겼다나요.

나는 단지 일기를 몇 줄 베껴 썼을 뿐인데, 그게 무슨 죄라는 건지 도무지 알 수 없다니까요. 그래도 한 가지 배운 게 있어 그걸로 만족하기로 했어요. 여자들의 일기장에는 쓸데없는 얘기만 잔뜩 씌어 있다는 거예요.

그 소동 때문에 밥도 얻어먹기 힘들어진 나는 낚시나

하려고 강으로 갔습니다. 물고기나 낚아서 구워 먹으려고요. 그런데 낚싯바늘에 걸린 물고기를 낚아 올리려다 배가 너무 고파서 힘이 빠진 탓인지 그만 물에 빠져 버리고 말았어요. 물살에 휩쓸려 떠내려가면서 생각했어요.

조지는 정말
엄청 말썽꾸러기인가 봐.
집에서 사고 치고 나와
또 물에 빠졌어.

'우리 가족들은 내가 없어지면 슬퍼할까? 야단치고 화를 낼 대상對象이 없어졌으니 조금은 슬퍼할지도 모르겠네.'

물을 잔뜩 먹어 정신을 잃은 나를 건져 낸 사람들은 입에 공기를 불어 넣고, 뺨을 때리고 야단이었어요. 정신을 차린 나는 물에서 나를 건져 내느라 흠뻑 젖은 아저씨에게 이것부터 물어보았습니다.

"내 낚싯대는요? 내 낚싯대도 당연히 건져 주셨겠죠?"

내가 사람들의 부축을 받아 집으로 돌아가자 어머니는

대상(對象) : 어떤 일의 상대 또는 목표나 목적이 되는 것.

손수건이 다 젖도록 우셨어요. 누나들도 다정하게 대해 주었지요. 릴리 누나는 뜨거운 차와 부드러운 버터 빵을 갖다 주고 두꺼운 이불로 나를 폭 감싸 주었어요. 나는 식구들이 내게 화를 내는 걸 잊어버린 것이 무척 기뻤습니다.

나는 거의 일주일 동안이나 일기를 쓸 수가 없었어요. 열이 오르면서 무척 아팠거든요. 오늘 아침에는 좀 나은 것 같아서 응접실로 내려가다가 베시 누나가 말하는 걸 듣고 너무 슬펐어요.

누나들,
너무한 거 아냐?
한 달쯤 아파서 누워
있으면 좋겠다니?

"조지가 아프니까 집 안이 정말 조용하지? 나는 솔직히 걔가 한 달쯤 아파서 누워 있으면 좋겠어. 그럼 집안이 평화(平和)로울 텐데 말이야."

왜 모든 누나들은 남동생을 그렇게 싫어하는지 모르겠어요. 난 베시 누나 심부름도 곧잘 하는데 저렇게 말하다니요. 나는 매일

평화(平和) : 평온하고 화목함.

우체국으로 가 누나에게 온 편지를 받아 전해 주는데, 지금까지 딱 세 통밖에 잃어버리지 않았다고요.

오후가 되자 슬슬 심심해지기 시작하면서 몸이 근질거리는 거예요. 나는 릴리 누나의 방으로 갔어요. 누나 서랍에 든 남자들 사진이라도 봐야 덜 심심할 것 같았거든요.

서랍 속에는 남자들 사진이 잔뜩 들어 있었는데, 뒷면에는 이런 말들이 씌어 있었어요.

'외모에만 관심이 많은 바보!' '오, 참 잘생겼는걸!', '날 원해? 나는 질색이야', '완벽한 당신!' '이 입 좀 봐!' '완전 당나귀!'

내가 아는 사람들 사진도 꽤 많이 있었어요. 나는 내가 아는 얼굴들만을 골라서 주머니 속에 넣었어요.

그러고 나자 수잔 누나의 방에는 뭐가 있나 궁금한 거 있죠? 나는 이번에는 수잔 누나의 방으로 갔어요. 방에는 새로 맞춘 파란 비단 드레스가 걸려 있었어요. 나는 그것을 입어 보았습니다. 가슴 부분을 빼놓고는 잘 맞더라고요. 나는 그걸 입고서 이층 계단 난간에서 미끄럼을 타고 내려갔어요. 그런데 마침 수잔 누나가 계단을 올라오다가 드레스 자락을 밟아서 드레스가 죽 찢어져 버렸어요.

"파티 때 입을 새 드레스를 망쳐 놓다니!"

화가 난 누나가 내 따귀를 철썩 때렸습니다. 자기가 밟아 놓고서 왜 나더러 찢었다고 그러는 거죠? 세상의 누나들은 남동생의 뺨이 분풀이를 위해서 존재하는 게 아니라는 걸 알아 둬야만 해요. 누나가 내 주머니 속에 뭐가 들었는지 알았다면, 결코 내 뺨을 칠 수 없었을 거예요.

다음 날, 아침 일찍 일어난 나는 밥을 먹는 둥 마는 둥 하고 읍내로 갔습니다.

"오오, 조지구나! 누나들은 잘 있니?"

"조지! 가게에 들어와서 맛있는 건포도 좀 먹고 가렴."

나는 여기저기서 이런 인사를 받았어요. 결혼할 나이가 된 누나를 셋이나 둔 소년은 어디서나 환영을 받는 법이거든요. 그렇지만 그 남자들은 예쁜 누나들이 늘 남동생을 폭행한다는 무시무시한 사실은 모를 거예요.

나는 내 주머니 속 사진의 주인공들을 찾아갔습니다.

내 새 드레스!
파티 때 입을 내 드레스!
헉걱!
앗, 큰일 났다!
난 이제 죽었어!
찌-이-익

'외모에만 관심이 많은 바보!'라고 씌어 있는 사진의 주인공은 콧수염을 기른 가게 점원이었어요. 나는 뭔가를 잔뜩 발라 꼿꼿해진 콧수염을 만지작거리는 그에게 사진을 내밀었어요. 누나들은 그의 사진에 콧수염을 두 배나 길게 그려 놓고 얼굴 여기저기에 낙서까지 해 놓았습니다. 얼굴이 시뻘게진 그가 버럭 소리를 질렀어요.

"누가 이렇게 했지? 네가 그랬지?"

"내 생각에는 귀신이 그런 것 같은데요."

나는 천연덕스럽게 말하고는 다른 사진의 주인공 피터 형에게로 갔어요. 빨간 머리카락에 주근깨가 가득한 피터 형은 자기가 아주 미남인 줄 알고 있대요. 누나들은 그의 사진에 새빨간 펜으로 머리카락을 칠해 놓고, 주근깨를 온 얼굴에 가득 박아 놓았습니다. 뒷면에는 이런 말이 씌어 있었어요. '날 원해? 나는 질색이야!' 사진을 본 피터 형의 창백해진 얼굴은 보기에 안쓰러울 지경이었지요.

"꺼져, 이 꼬마 악동아!"

사진을 받아든 남자들은 모두 내게 몹시 화를 냈어요.

그렇지만 나는 그들이 진짜로는 누구에게 화를 내고 있는지 잘 알고 있지요. 사진을 모조리 돌린 뒤에 집에 와 보니 누나들은 곧 열릴 파티 준비에 한창이었어요.

"아, 피터도 초대해야겠어! 남자들이 많이 오는 편이 춤추기에 더 나을 테니까 말이야!"

마냥 들뜬 누나들은 초대장을 쓰면서 시도 때도 없이 까르르 까르르 웃었습니다. 초대를 받은 남자들이 한 사람도 오지 않을 거라는 걸 알면 저렇게 웃음이 나오지 않을 텐데 말이지요. 나야말로 터져나오려는 웃음을 가까스로 참아야 했습니다.

'완전 당나귀!'라고 쓰여진 사진을 받아든 사람의 표정이 얼마나 험악했는지에 대해서도 쓰고 싶지만, 이제 너무 졸려요. 그만 자야겠어요. 일기장아, 안녕! 이제 곧 재미있는 일이 벌어질 거야. 그때 다시 만나자.

누나들이 파티에
아무도 오지 않으면
무척 실망할 텐데, 조지는
무사할까?

누나들은 꿀벌처럼 바삐 움직이며 피곤한 기색도 없이 호호거리면서 파티 준비를 해 나갔어요. 그렇지만 누나들의 얼굴을 찡그리게 하는 일도 있었어요. 벳시 아주머니의 느닷없는 방문 때문이었지요.

아버지의 친척인 벳시 아주머니는 일 년에 두 번 우리 집에 방문해서 일주일씩 머물다 가신답니다. 벳시 아주머니를 좋아하지 않는 누나들은 이번에는 특히 더 싫어하는 것 같았어요.

'노아의 방주'는
구약 성서 창세기에 나오는
이야기야. 대홍수 때 하나님의
은총을 입은 노아의 방주에 탄
가족과 짝을 이뤄 탄 동물들은
살아 남을 수 있었어.

"어휴! 하필 지금 오시다니, 파티 때까지 계시겠지?"

"분명히 낡아 빠진 드레스에 촌스런 손수건을 들고 파티에 등장할 거야. 무슨 망신이람. 사람들은 벳시 아주머니가 방금 노아의 방주에서 내린 줄 알 거야. 다른 짐승들은 모두 쌍쌍이지만 그녀만은 혼자지. 노처녀니까."

누나들이 소곤소곤 불평하는 소리를 듣자

나도 벳시 아주머니가 파티에 참석하지 않는 게 더 좋을 것 같았어요. 사진들 때문에 슬슬 걱정이 되었거든요. 누나들의 신경을 거스르는 일은 더 이상 일어나지 않는 게 좋을 것 같았습니다.

아주머니와 단둘이서 차를 마시게 되었을 때, 나는 예의를 갖추어서 이야기를 꺼냈습니다.

"벳시 아주머니, 우리 누나들을 기쁘게 해 주고 싶지 않으세요?"

"그게 무슨 소리냐, 조지?"

나는 아주머니께 누나들이 한 말을 그대로 말씀드리고, 제발 누나들의 소원을 들어 달라고 간곡懇曲하게 청했어요. 그러자 아주머니는 화를 내며 펄펄 뛰더니 짐을 챙겨 아주머니의 집이 있는 호퍼타운으로 돌아가 버렸어요.

게다가 아버지에게는 빌린 돈을 당장 갚으라고 했다지 뭐예요. 또다시 온 식구들의 구박을 받게 된 나는 크림

간곡(懇曲) : 태도나 자세 따위가 간절하고 정성스러움.

과자 하나도 마음대로 못 먹는 처지가 되었어요. 내가 이 다음에 커서 사내아이를 낳으면 절대로 나처럼 구박 받으며 자라지 않게 할 거예요.

드디어 파티 날이 되었어요. 우아한 드레스를 입고 머리에 꽃을 꽂은 누나들은 무척 예뻐 보였어요. 나도 새 양복에 넥타이를 매고, 향수를 뿌린 손수건을 가슴에 꽂았습니다. 나는 아이스크림, 과자, 젤리, 통닭 등을 빨리 먹고 싶었지만 말썽 부리지 말라는 누나들의 잔소리를 한참이나 듣고 나서야 응접실에 나갈 수 있었답니다.

나는 시간이 갈수록 떨렸습니다. 9시가 다 되도록 집에 온 남자라고는 수잔 누나의 약혼자 닥터 무어 한 사람뿐이었거든요. 피아노 앞에 앉은 연주자는 왈츠를 계속 연주演奏하는데, 같이 춤을 출 남자가 없는 아가씨들은 무척 따분해 보였어요.

그때 초인종 소리가 요란하게 울렸습니다. 누나들의 얼

연주(演奏) : 악기를 다루어 곡을 표현하거나 들려주는 일.

굴이 눈에 띄게 환해졌지요. 그런데 기다리던 남자들은 오지 않고, 하녀 베티가 편지 한 장을 들고 와 누나들에게 건넸습니다. 그 편지란 그냥 사진 한 장이었어요. 뒷면에 '완전 당나귀!' 라는 글이 씌어 있는 그 사진 말이에요.

초인종은 계속해서 울렸고, 그때마다 사진이 한 장씩 도착했어요. 누나들은 울상이 되었지요. 누나들과 사이가 좋지 않은 홉킨스 양은 대놓고 킬킬거렸어요.

그런데 그 사이에 도착한 남자들도 있었습니다. 뒷면에 '오, 참 잘생겼는걸!', '완벽한 당신!' 이라고 적힌 사진의 주인공들이었어요. 농담을 제대로 이해하지 못한 그 남자들은 새 옷을 빼입고, 들뜬 얼굴을 하고 있었답니다.

많은 여자들과 세 명의 남자들이 어울린 파티는 엉망으로 끝이 났고, 누나들이 훌쩍거리는 바람에 나는 아이스크림을 다섯 통밖에 먹지 못했어요.

조지의 장난으로
누나들이 기대하던 파티는
결국 엉망으로 끝나고
말았군.
mug

"우리는 이제 다시는 집 밖에 나갈 수 없

어요. 이제 이사를 가는 수밖에 없을 거예요."

"누가 이따위 장난을 했는지 알아내기만 하면, 죽여 버리고 말 거예요."

"조지가 이 일을 설명해 줄 수 있을 것 같은데."

닥터 무어가 나를 쏘아보며 말했습니다.

나는 잽싸게 도망쳐 내 방으로 들어와 불을 껐습니다. 성난 수잔 누나의 목소리가 들려올 때마다 눈을 꼭 감고 자는 척하면서 생각했지요.

'매를 맞지 않으려면 도망치는 수밖에 없어. 그런데 어디로 가지?'

내 머릿속에 떠오르는 한 사람이 있었습니다. 나는 저금통을 털어 2달러를 꺼낸 뒤에 식구들이 모두 잠든 한밤중에 집에서 빠져나왔어요. 달빛이 대낮처럼 환해서 무섭지는 않았습니다.

어쩜 좋아! 이제 우리는 이 마을에서 살 수 없어!
누구 짓인지 알기만 하면 죽여 버릴 거야!
조지, 네가 설명 좀 해보렴.
난 창피해서 외출을 못할 것 같아.
이럴 땐 무조건 도망치는 게 최고야.

2장
사고뭉치 조지 하케트

"거기 누구야?"

누군가 외치는 소리에 깜짝 놀란 나는 잠에서 깼습니다. 나를 깨운 사람은 기관사 조수 아저씨였습니다. 집에서 나온 나는 곧바로 기차 정거장으로 갔습니다. 차비를 아끼려고 빈 찻간에 몰래 숨어들었지요. 그런데 그만 잠이 들었나 봐요.

나는 기관사 조수 아저씨에게 내가 어떻게 여기에 있게 되었는지 모두 설명을 해 주었습니다. 아저씨는 내 이야기를 잘 들어 주었고, 나와 말도 썩 잘 통했어요. 누나들에게 회초리로 맞은 이야기를 듣고서는 내가 불쌍했는지 기차 삯도 받지 않았지요. 아저씨도 어릴 적에 많이 맞으면서 자랐대요. 그런 것에는 그냥 익숙해지는 수밖에 없다나요.

"너 어디서 내릴 거니?"

"호퍼타운에서요. 벳시 아주머니께서 거기 사시거든요. 난 어른이 될 때까지 거기서 지낼 거예요."

'버펄로 빌'은
미국 서부 개척 시대에
들소 사냥꾼으로
유명했던 인물이야.

기차에서 내릴 때 우리는 서로 악수를 나누었어요. 나는 아저씨와 오랜 친구 사이인 것 같은 기분이 들었어요. '버펄로 빌' 같은 들소 사냥꾼이 되는 게 내 꿈이었는데 기관사 조수로 바꾸어야겠어요. 날마다 기차를 공짜로 탈 수 있다니 정말 멋지지 않나요?

기차는 아침 일찍 호퍼타운에 도착했습니다. 그러나 내가 벳시 아주머니 댁에 도착한 건 점심 무렵이었어요. 기차역에 있는 애들과 어울려 놀았거든요. 그런데 그 나쁜 아이들이 내 옷을 찢어 놓았고, 내 전 재산인 2달러도

빼앗아 갔어요. 내 꼴은 말이 아니었지요.

나를 보자 놀란 벳시 아주머니는 막 입으로 가져가려던 왕만두를 바닥에 떨어뜨렸습니다.

"세상에! 조지 하케트 아니냐? 네가 어떻게 여기에 온 거냐? 옷은 그게 뭐고, 얼굴엔 웬 상처냐?"

"벳시 아주머니, 이제부터 아주머니 댁에서 함께 살고 싶어서 왔어요. 저는 집에서는 살기 싫어요."

아주머니의 눈이 휘둥그레졌습니다.

"이상하구나. 집에서 살기 싫다니? 인자한 아버지에 다정한 어머니, 착한 누……."

'착한 누나들'이라고 하려던 아주머니는 말을 딱 그쳤습니다. 아주머니는 역시 내 생각대로 누나들이 한 말을 잊지 않고 있는 게 분명해요.

"이상할 것도 없지. 그런 고약한 계집애들과 한 집에서 같이 살기 싫을 만도 하지. 불쌍한 조지야, 무슨 일이 있었는지 내게 다 말해 보아라."

나는 아주머니께 내가 사진을 남자들에게 갖다준 이야

조지, 네가 여길
오다니, 웬일이냐?
저 아주머니와
살고 싶어서 왔어요.
툭

기며, 파티 날 무슨 일이 있었는지 모두 다 이야기했어요. 나는 아주머니가 우리 집에 오셨을 때 화나게 한 걸 생각할 때마다 가슴이 미어지는 것처럼 아팠다는 말을 덧붙이는 것도 잊지 않았습니다. 파티 날에 누나들이 울상을 지었다는 이야기를 할 때는 아주머니의 두 눈이 즐거움으로 빛나는 것을 보았지요.

"조지야, 네가 잘못을 했구나. 하지만 네가 우리 집에 온 걸 환영한다. 우리 집에 있어도 좋다."

벳시 아주머니가
누나들한테 받은 모욕 때문에
분풀이를 하려고 조지를 받아
주는 거 아냐?

아주머니는 내게 맛있는 닭고기와 만두를 주시면서 집에 연락하지 않겠다고 약속했지요. 오후에 아버지한테서 '조지가 거기 갔습니까?' 라고 묻는 전보가 왔는데, '뜬금없이 무슨 말인지 모르겠음'이라는 답장을 보내기까지 했어요.

나는 지금 아주머니 댁에서 일기를 쓰고 있답니다. 집에서 나올 때 일기장을 챙겨 왔거든요.

내가 여기에 온 지도 벌써 나흘이 지났습니다. 벳시 아주머니는 우리 식구들 애를 태우려고 나를 데리고 있는 건 아닌지 의심스러워요. 아주머니는 나를 노예처럼 부려 먹습니다. 여기 온 지 이틀째 되는 날부터 벳시 아주머니는 내게 일을 시키기 시작했어요. 나는 낙엽을 갈퀴로 긁어 모으고, 콩 껍질을 까야 했어요. 남자아이한테 콩 껍질을 까라니요! 나는 집에서는 이런 모욕侮辱을 받아 본 적이 없다고요. 아, 집에 가고 싶어요!

시간은 왜 또 이렇게 천천히 가는지요. 기차를 타고 집으로 돌아가고 싶어도 돈이 없으니 갈 수도 없어요. 내일은 딸기를 3킬로그램이나 따야 한답니다. 이제 나는 더는 견딜 수가 없어요. 다시 집으로 돌아갈 수만 있다면, 나는 착한 아이가 될 거예요. 하지만 집에 갈 방법이 없답니다.

잠깐만요. 만세! 좋은 생각이 떠올랐어요. 하지만 일기

모욕(侮辱) : 깔보고 욕되게 함.

에 적지는 않을 거예요. 벳시 아주머니가 몰래 읽으면 곤란하니까요.

다음 날 나는 딸기를 열심히 땄습니다. 아주머니는 잼을 만들 준비를 마치고 날 기다리고 계셨을 거예요. 하지만 나는 딸기를 아주머니께 갖고 가지 않았습니다. 딸기를 어떻게 했나고요? 시장에 갖다 팔았답니다. 그리고 그 돈으로 우체국에서 집으로 전보를 쳤어요. 이렇게요.

'나는 벳시 아주머니 댁에서 노예처럼 일하고 있어요. 제발 나를 데려가 주세요.'

조지, 이제
부모님께 걱정 끼치지
말고 얌전히 지내,
알았지?

아버지가 나를 데리러 왔을 때를 생각하면 눈물이 나려고 해요. 내가 역에 도착했을 때는 온 마을 사람들이 나를 맞으러 나와 있었습니다. 내가 어디서 죽거나 유괴당한 줄로만 알았대요. 어머니는 펑펑 우셨고, 하녀 베티까지도 눈물을 흘렸어요. 그리고 우리 누나들, 누나들은 내게 키스를 퍼부으며 내 손을 꼭 잡아 주었답니다. 나는 다시는 누나들을 화나게 하지 않겠다고 맹세했어요.

오, 그런데 세상의 누나들, 아니면 적어도 우리 누나들은 어쩌면 그렇게 남동생을 함부로 대하는 걸까요? 나는 늘 누나들의 편지 심부름을 도맡아야 합니다. 하루에 몇 차례나 우체국을 왔다 갔다 할 때도 있답니다.

나는 누나들에게 편지를 보내는 남자들에게는 누나가 없을 거라고 확신確信해요. 누나를 가진 소년은 아는 게 많은 법인데, 이 남자들은 아는 게 하나도 없는 것만 같거든요.

이를테면 이런 것들 말이에요. 누나들은 늦은 아침까지 늘어지게 자고 느지막이 응접실로 나오는데, 자기 방에 있을 때와는 아주 딴판입니다. 자기 방에 있을 때는 머리카락을 꼬불거리게 하는 것들을 잔뜩 머리에 감아 꼭 뿔 난 도깨비처럼 보이는데, 아래층으로 내려올 때는 구불거

확신(確信) : 굳게 믿음.

리는 머리를 늘어뜨리고 있거든요. 그리고 릴리 누나는 예전에는 석탄처럼 검은 머리카락이었는데 언제부터인가 맥주로 머리를 감아 갈색이 되었어요. 아마 남자들은 이 사실을 하나도 모르고 있을 거예요.

요즘 우리 마을에 새로 온 슬로쿰 목사님은 매일 우리 집에 차를 마시러 오는데, 그게 사실 릴리 누나를 마음에 두고 있어서래요. 물론 목사님은 릴리 누나의 머리카락 색에 대해 모르고, 내가 볼 때는 누나 없이 자란 것 같아요. 항상 여자들을 좋아하는 것 같거든요.

그리고 나를 통해 릴리 누나에게 편지를 전하는 몬테규 드 존스 씨도 모르는 게 많아요. 릴리 누나와 드 존스 씨는 거의 매일 편지를 주고받는데, 비밀을 지키는 대가로 풍선껌을 살 동전을 주곤 해요. 그래서 나는 드 존스 씨에게 릴리 누나의 진짜 머리카락 색에 대해서 말하지 않을 거예요. 대신에 편지를 살짝 훔쳐보는 것으로 만족해야겠어요. 지금 내 주머니에는 드 존스 씨의 편지가 들어 있습니다. 나는 껌을 씹으면서 편지를 읽었죠.

사랑하는 릴리!

오늘 저녁 9시에 길모퉁이에서 마차가 기다리고 있을 거예요. 들키지 않도록 조심해요. 모든 게 잘될 거고, 우리는 함께 행복할 수 있을 거예요.

당신의 몬테규 드 존스

나는 편지를 다시 잘 접어서 릴리 누나에게 전해 주었어요. 편지를 읽고 난 누나는 안절부절못하더니 방으로 올라가 버렸어요. 그때 응접실에는 슬로큼 목사님이 또 와 있었는데, 내가 목사님께 릴리 누나와 몬테규 드 존스 씨는 편지를 전해 주면 늘 내게 껌을 살 돈을 준다고 말하자 표정이 변했어요.

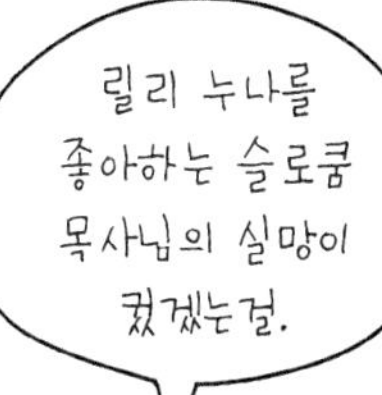
릴리 누나를
좋아하는 슬로큼
목사님의 실망이
컸겠는걸.

“얼마나 자주 돈을 받니?”

“거의 매일이에요. 방금도 드 존스 씨의 편지를 릴리 누나에게 전해 주었는걸요.”

목사님은 한숨을 쉬고는 설교 준비를 해야

한다며 돌아가 버렸어요.

9시가 되자 나는 집에서 몰래 나와 골목길 옆 쓰레기통 뒤에 몸을 숨겼습니다. 그런데 정말 골목길 앞에 마차가 한 대 서 있었어요. 그러자 릴리 누나가 꾸러미를 가슴에 꼭 안고 집에서 빠져나와 마차에 타는 것이었습니다. 마차는 릴리 누나가 타자마자 전속력으로 달렸어요. 나는 집으로 돌아와 소리소리 질렀어요.

"아버지, 어머니! 마차를 잡아야 해요! 릴리 누나가 결혼하려고 해요! 그 사람이랑 마차를 타고 갔어요!"

"무슨 소리냐?"

아버지와 어머니는 내가 무슨 말을 하는지 모르겠다는 듯 어리둥절해했어요. 그래서 나는 릴리 누나의 방에서 드 존스 씨의 편지를 가져와 두 분께 보여 드렸습니다. 아버지의 표정이 심각해졌고, 어머니는 털썩 주저앉았어요. 그런데, 이건 정말 불공평한 일이에요. 사건을 알려 준 건 나인데 나는 내 방으로 쫓겨 가서 잠을 자야 했어요. 늘 재미있는 일만 생기면 이렇다니까요.

아침에 일어나자마자 난 아래층으로 내려왔어요. 릴리 누나가 울어서 퉁퉁 부은 얼굴로 다른 식구들과 식탁에 앉아 있었어요. 나를 보자 릴리 누나는 또 울음을 터뜨렸어요.

"조지야, 네가 그러지 않았으면 좋았을 텐데……."

누나가 우는 것을 보니 내 행동이 후회後悔가 되었습니다. 나는 며칠 동안 아주 착한 아이가 되었습니다. 그런데 릴리 누나는 내게 한마디 말도 걸지 않고, 도통 웃으려고도 하지 않아요.

슬로쿰 목사님은 또 우리 집에 차를 마시러 왔어요. 그런데 목사님들께서 하시는 일은 여자들과 차를 마시는 게 전부인가 봐요. 슬로쿰 목사님은 늘 이 집 저 집에서 차를 마시며 수다를 떨거든요.

옆집에 사는 조니에게 놀러 갔다가 돌아와 보니 목사님은 베시 누나와 차를 마시고 있었어요. 릴리 누나는 얌전

후회(後悔) : 이전의 잘못을 깨치고 뉘우침.

하게 앉아 수를 놓고 있었지요. 내 주머니 속에는 권총이 들어 있었습니다. 조니 아버지가 탁자에 놓아둔 권총을 잠시 빌려 왔거든요. 물론 총알은 들어 있지 않을 거예요. 나는 슬로쿰 목사님을 좀 곯려 줘야겠다고 생각했어요.

"탕탕탕! 항복하라! 움직이면 쏜다!"

베시 누나는 비명을 지르며 응접실 구석으로 도망을 갔고 릴리 누나가 일어나 소리쳤어요.

"조지, 총 치워! 총알이 들어 있으면 어쩌려고!"

슬로쿰 목사님이 혼비백산魂飛魄散해서 탁자 밑으로 기어 들어가던 걸 생각하면 나쁜 일인 줄은 알지만, 웃음이 절로 납니다. 그렇지만 난 정말 총알이 없는 줄 알았다고 일기장에 대고 맹세할 수 있어요. 총알이 들은 줄 알았다면 방아쇠를 당기는 일은 결코 없었을 거예요.

총알은 목사님에게 위험한 상처를 냈어요. 목사님은 며

혼비백산(魂飛魄散) : 혼백이 어지러이 흩어진다는 뜻으로, 몹시 놀라 넋을 잃음을 이르는 말.

조지, 진짜 총알이 들었어! 그만해!
탕
조지, 난 아직 장가도 못 갔단다.
탕
꼼짝 마라! 항복하지 않으면 쏜다!
탕

칠이나 우리 집 위층 제일 좋은 방에 누워 있어야 했답니다. 온 식구들은 나를 마치 마귀 바라보듯 인상을 찌푸리며 노려보았어요. 정말 너무들 해요. 나는 정말 총에 총알이 들어 있었는지 몰랐다니까요.

나는 어두컴컴한 방에 갇혀 세끼를 빵과 맹물만 먹으며 지내야 했어요. 매일 밤 혼자 울다가 잠이 들었습니다. 그런데, 어느 날 릴리 누나가 잠긴 문 저편에서 열쇠 구멍에 대고 말했어요.

총에 맞은
목사님이 목숨이
위험하지는 않은가 봐.
정말 다행이야.

"이 불쌍한 녀석아, 목사님이 일어나셨어. 이제 괜찮을 거래. 내일이면 집으로 돌아가실 거야."

"누나, 누난 정말 좋은 사람이야. 슬로쿰 목사님과 결혼하지 마. 그 목사님은 겁도 많고 매일같이 여자들과 차만 마신다니까. 내가 몬테규 아저씨와 결혼할 수 있게 도와줄게, 응? 이제는 누나가 하는 일에 절대 방해하지 않을게. 그러니까 아버지한테 나를 좀 내보내 달라고 부탁해 줘, 누나. 그리고 내게 버터 바른 빵이랑 햄이랑 주스 좀 가져다주지 않을 테야? 매일 빵에 맹물만 먹이는 건 어린 소년한테 너무하잖아. 난 병이 날 것만 같아."

다시 말하지만 릴리 누나는 정말 착합니다. 누나는 내게 과자와 주스를 갖다주고 꼭 끌어안아 주었어요. 그렇지만 아버지는 아직 날 용서容恕할 수 없다며 문을 열어 주지 않으세요.

나는 자유를 찾아 탈출하려고 이불을 찢어 만든 밧줄을 타고 창문을 통해 내려가다가 떨어져 정신을 잃고 말았어요. 나는 침대 옆에서 아버지가 한숨을 쉬면서 어머니에게 말하는 것을 들었습니다.

"얘는 구제 불능이야. 나는 얘를 버린 자식으로 치겠어. 이 녀석이 깨어나는 게 오히려 겁이 날 정도야."

그렇다면 왜 나를 낳으셨나요? 아버지가 나처럼 어두

용서(容恕) : 지은 죄나 잘못한 일에 대해 꾸짖거나 벌하지 아니하고 덮어 줌.

컴컴한 방에 갇혀 빵하고 맹물만 먹었다면, 아버지도 탈출하려고 하시지 않았을까요? 어른들은 아이들에게 정말 불공평해요. 하지만 다행히 이 일로 나를 향한 식구들의 잔소리는 좀 줄어들었답니다.

한 가지 좋은 소식을 전해야겠어요. 릴리 누나가 몬테규 드 존스 씨와 결혼을 할 거래요. 드 존스 씨의 친척이 아저씨에게 많은 유산을 물려주어서 결혼할 수 있게 되었대요. 아버지는 늘 드 존스 씨가 좋은 청년이라고 생각하셨다고 해요. 난 그 말이 잘 이해가 가지 않아요. 아무튼 릴리 누나가 다시 웃게 되어서 기뻐요.

나는 결혼식이 끝날 때까지 착한 아이가 되어 보겠어요. 릴리 누나가 나에게 금화 한 닢까지 주면서 간곡히 부탁했거든요. 누나는 결혼을 해서 자기 집을 갖게 되면 내 방을 만들어 주겠다고 약속했어요.

결혼식은 오전 11시에 교회에서 열렸습니다. 하얀 웨딩드레스를 입은 릴리 누나는 무척 예뻤어요. 드 존스 씨는 땀을 뻘뻘 흘리면서 제정신이 아닌 것 같았습니다. 나는 벳시 아주머니의 빨간 손수건을 드 존스 씨의 양복 뒤에 꽂아 놓았는데, 신랑이 목사님 앞으로 걸어 나갈 때야 사람들이 알아챘지요. 닥터 무어가 손수건을 떼어 주자 드 존스 씨는 누가 할 말이 있어 잡아당기는 줄 알고 멈춰 서는 바람에 릴리 누나 혼자 목사님 앞으로 걸어갔답니다.

사람들이 폭소를 터뜨리자 신랑의 얼굴은 홍당무처럼 새빨개졌어요. 당황한 드 존스 씨는 신부에게 줄 반지를 떨어뜨려 반지가 설교단 밑으로 굴러 들어가 버렸어요. 그래서 수잔 누나의 반지를 빌려야 했답니다.

신랑의 우스운 행동은 거기서 끝이 아니었어요. 결혼식이 끝나 행진을 할 때는 신부가 누구인지 구분도 못하고, 릴리 누나 대신 벳시 아주머니의 손을 끌어당겨 교회 밖으로 데리고 나갔어요. 손목을 잡혀 끌려가는 벳시 아주머니는 무척 수줍어 보였어요.

하하하! 신랑이
벳시 아주머니 손을
잡고 행진을 했대!

사람들은 이 모든 게 내 탓이라고 했어요. 심지어 릴리 누나까지도 내게 화를 내며 자

신랑! 신부를
데리고 가셔야지요.
날 두고 가면
어떡해요?
하 하
그럼 내 손을 잡은
사람은 누구지?
어머! 왜 날
데리고 가나?
하 하 하
하 하 하

기 집에 오지 못하게 하겠대요. 내가 그런 협박에 기가 죽을 것 같나요? 그동안 누나가 편지를 보냈던 모든 남자들 이야기를 매형妹兄에게 해 줘 버리면 그만이니까요. 그리고 누나가 늘 가슴에 헝겊 뭉치를 불룩하게 넣는다는 것도요.

피로연 자리에서 사람들은 포도주를 한 잔씩 들고 누나와 드 존스 씨의 행복을 빌었어요.

"조지야, 너도 누나의 건강을 빌어 주어라."

나도 주스 잔을 치켜들고 말했죠.

"결혼한 릴리 누나가 영원히 행복하길! 누나가 아이를 낳으면 절대로 동생에게 했던 것처럼 매질을 하거나 머리끄덩이를 잡아당기거나 신발이 닳도록 편지 심부름을 시키는 일이 없기를!"

매형(妹兄) : 손위 누이의 남편을 이르거나 부르는 말.

3장

엉망진창 크리스마스

크리스마스가 될 때까지 나는 비교적 얌전하게 지냈던 것 같아요. 비록 자선 바자회 때 화약을 갖고 놀다가 마을 회관에 불이 붙어서 건물이 홀랑 타고, 파티 날에는 부랑자들을 집으로 초대해서 아버지가 화를 냈고, 닥터 무어의 약국에서 몇 사람이 기절하는 소동도 있었지만 그건 모두 우연하게 일어난 불행한 일일 뿐 절대 내 잘못이 아니었어요.

그런데도 아버지는 항상 나를 탓해서 나는 한 번 더 가출을 해서 릴리 누나에게 갔다 오기도 했답니다. 하지만 릴리 누나와 함께 살 수는 없었어요. 무슨 이유인지는 모르지만 릴리 누나는 내 방을 마련해 놓지도 않았고, 아예 집 없이 호텔에서 살고 있었거든요.

아버지는 나를 멀리 있는 기숙 학교에 보내야겠다고 단단히 벼르십니다. 아버지가 닥터 무어의 약국에서 벌어진 소동에 대한 내 일기를 보시면 나의 억울함을 풀 수 있게 될까요? 소동은 이렇게 일어난 거예요.

나는 가끔 닥터 무어의 약국에 놀러 가곤 했습니다. 닥터 무어는 절대 나를 약국에 혼자 두려고 하지 않았어요. 약국에는 위험한 약들이 많이 있으니까요. 그런데 갑자기 누군가 발작을 일으켜 닥터 무어는 급하게 왕진을 가야 했어요. 닥터 무어는 나에게 단단히 주의를 주었지요.

"내가 돌아올 때까지 절대로 약국 안에 있는 물건들을 건드려서는 안 된다, 조지."

나는 무얼 건드릴 생각은 전혀 없었어요. 그런데 구두쇠 벡스터 할머니가 들어오시면서 일이 꼬이기 시작한 거예요. 할머니는 공손히 인사하는 나

조지가 이번엔
무슨 사고를 칠까
정말 궁금하지 않니?

를 본체만체하시고는 자기 마음대로 약들을 꺼내 계산대 위에 올려놓으셨어요. 그리고 5센트짜리를 올려놓으시더군요. 분명히 그건 약값보다 훨씬 적은 돈이었을 거예요. 그래도 난 할머니께 친절한 목소리로 여쭈었어요.

"약을 타 드릴까요?"

"그럴래? 그럼 네가 설탕을 좀 넣어 주렴."

할머니는 설탕값이 아까워 내가 약을 타는 것을 허락하신 거였어요. 나는 설탕을 듬뿍 넣어서 두 잔의 약을 타 드렸어요. 그런데 그걸 마신 할머니가 갑자기 기절을 하신 거예요. 밖에 나가 할머니가 죽어 간다고 소리치자 사람들이 몰려왔어요.

한참 있다 깨어나신 할머니는 약이 미처 녹기 전에 마셔서 그렇다고 얼버무렸어요. 자기 마음대로 비싼 약을 골라서 마셨기 때문인 것 같은데 말이에요. 내 잘못이 아닌데도 할머니는 내게 삿대질을 하시고 가 버렸어요.

조금 뒤에는 한 여자애가 손가락을 치켜들고 약국으로 들어왔어요. 가시가 박혀서 너무 아프다는 거예요. 닥터 무어가 왕진을 가서 없다고 하자 그 애는 당장 울음을 터뜨릴 것 같았어요. 나는 그 애가 불쌍해 내가 가시를 빼 주겠다고 했어요. 만약 그 애가 가만히만 있었다면 나는 칼로 가시를 빼 내는 데 성공했을 거예요.

겁을 먹은 그 애가 움찔거리는 바람에 그만 그 애의 손가락을 베고 말았어요. 피가 양탄자 위로 뚝뚝 떨어지는 걸 본 나는 겁이 더럭 나서 그 애에게 집으로 얼른 뛰어가서 어머니에게 붕대를 감아 달라고 하라고 했습니다.

양탄자에 피가 떨어진 것을 보면 닥터 무어가 화를 낼 것도 겁나고, 배도 고파서 집에 가고 싶어졌어요. 그런데 내가 그대로 돌아가면 약국에 도둑이 들까 봐 걱정이 되었어요.

유황은 광물성
약재의 하나로 속이 차서
생기는 설사의 치료제로
쓴단다.

나는 실험실에서 해골을 꺼내다 의자에 앉혀 놓고, 손에 칼을 쥐어 놓았어요. 그리고 작은 병에서 유황을 조금 꺼내 종이에 눈알을 그려 해골의 눈구멍에 넣어

놓았고요. 그러고서 불을 끄자 해골 눈알이 번쩍번쩍 빛이 나는 것처럼 보였어요. 이만하면 도둑놈이 들어왔다가 겁을 집어먹고 도망갈 거라고 생각한 나는 마음 편히 집으로 돌아왔지요.

그날 저녁 잔뜩 화가 난 닥터 무어가 집으로 찾아왔어요. 벡스터 할머니가 항의했고, 손을 벤 여자아이 부모가 약국에 들이닥쳤으며, 치통 때문에 약국에 왔던 사내아이가 해골을 보고 기절을 해서 약국 바닥에 드러누워 있었다는 거예요. 사내아이는 아직도 열이 나고 비명을 질러댄다지 뭐예요.

그런데 그게 어째서 모두 내 탓이란 거죠? 나는 닥터 무어에게 모든 것을 설명했지만 그는 다시는 약국에 오지 말라며 신신당부를 했어요.

"너는 우리 집안의 수치羞恥다, 조지!"

아버지는 이렇게까지 말씀하셨답니다.

수치(羞恥) : 다른 사람들을 볼 낯이 없거나 스스로 떳떳하지 못함.

번쩍
번쩍
꺄-
조지, 제발 부탁인데 약국에는 오지 마라!
조지, 넌 우리 집안의 수치다!
그게 왜 내 탓이에요?

베티 말이 아버지가 나를 보내려고 하는 기숙 학교에 가면 과자 하나도 마음대로 먹을 수가 없대요. 다행히 어머니가 반대하셔서 거기 가는 일은 없을 것 같아요.

나는 내 사랑하는 일기장에 대고 맹세하건대 부끄러운 일은 절대로 하지 않았어요. 그렇지만 몇 가지 불행한 사고들 때문에 아버지가 나를 기숙 학교에 보내려고 하니 얌전한 아이가 되도록 노력해야겠다고 결심했어요.

크리스마스 무렵은 내가 제일 좋아하는 계절이에요. 파티 준비로 떠들썩하고, 아버지와 어머니와 누나들에게 선물도 받을 수 있으니까요.

나는 누나들이 내게 줄 선물이 무엇인지 이미 알고 있답니다. 누나들 방에서 장롱 속에 든 선물 상자를 살짝 열어 봤거든요. 거기에는 내 발 크기에 딱 맞는 스케이트 한 켤레와 내 이름이 수놓인 책가방과 손수건, 장갑이 들어 있었어요.

그리고 수잔 누나가 닥터 무어에게 줄 선물이 뭔지도 알았죠. 수잔 누나가 남자들이 집에서 입는 윗옷에 닥터 무어의 이름을 수놓고 있는 걸 열쇠 구멍으로 몰래 봤거든요. 나는 닥터 무어가 궁금해할 것 같아 미리 말해 주었지요. 그런데 그는 어이없게도 이렇게 소리쳤어요.

"넌 정말 악당이구나, 조지."

아무래도 약국에서 일어난 사건에 대해서 아직도 오해를 풀지 못한 것 같아요. 뭐, 어쩌겠어요. 나는 크리스마스를 맞아 특별히 그를 용서해 주기로 했어요.

나는 하루 종일 맛있는 냄새가 풍기는 부엌에서 노는 게 무척 좋아요. 그런데 우리 요리사 아줌마는 요즘 무척 날카로워져 있어요. 내 생각에는 요리할 게 너무 많아서 그런 것 같아요. 하루 종일 과자를 굽고, 칠면조와 닭 요리를 하느라 얼마나 힘이 들겠어요.

아줌마는 나를 부엌 근처에 얼씬도 못하게 한답니다. 그래서 케이크 반죽을 휘젓는 숟가락을 핥을 수도, 강판에 분필을 갈거나 할 수도 없어요.

우리 누나들은 연말과 새해가 되면 너무 바빠서 눈이 돌아갈 지경이래요. 베시 누나와 수잔 누나는 날마다 손님을 맞느라 늘 예쁜 옷을 차려입고 있어야 하는 것도 귀찮대요. 또 손님에게 대접할 커피와 과자를 나르는 것도 무척 힘들다나요. 그래서 나는 우리 누나들이 번거로워하니까 연말과 새해에 우리 집에 오지 말라고 사람들에게 전해 주어야 할 것 같아요. 아무래도 내가 나서야 할 일인 것 같아서요.

그런데 나는 걱정이 한 가지 있어요. 선물을 가지고 온 산타 할아버지가 굴뚝에 끼면 어떡하죠? 우리 집 굴뚝은 너무 좁거든요. 만약에 산타 할아버지가 굴뚝으로 들어오시다가 몸이 끼게 되면 큰일이잖아요.

그래서 나는 아버지에게 굴뚝을 넓히는 공사를 하지 않겠느냐고 물어보았지요.

"쓸데없는 소리 하지 말고, 네 방으로 가거라."

내 방으로 와 침대에 누운 나는 걱정이 되어서 잠을 이를 수가 없었어요. 만약에 산타 할아버지가 우리 집 굴뚝에 끼어 다치시기라도 하면, 아직 들르지 못한 다른 집 아이들은 선물을 못 받게 되잖아요.

그러면 그 애들이 얼마나 실망失望을 하겠어요. 우리 집 굴뚝에서 벽돌 몇 장을 빼내면 산타 할아버지가 편안하게 우리 집으로 들어오실 수 있을 텐데 말이에요.

조지, 산타
할아버지는 착한
어린이한테만 선물을 주
신다고!

크리스마스 날은 생각처럼 즐겁지 못했습니다. 우리 집에서는 또 우연한 일들이 일어났거든요. 그때가 아마 저녁 9시쯤이었을 거예요. 우리 가족과 매형, 닥터 무어까지 모두 모여서 호두와 사과와 과자를 사이좋게 나누어 먹고 있었는데, 어머니가 내게 그만 올라가서 자라는 거예요. 산타 할아버지가 왔다가 내가 깨어 있는 걸 보면 그냥 돌아가실 거라나요.

실망(失望) : 바라던 일이 뜻대로 되지 아니하여 마음이 몹시 상함.

나는 마지못해 내 방으로 왔습니다. 내가 위층 내 방에 올라온 지 5분도 채 안 되었을 때 갑자기 세상이 무너져 내리는 듯 요란한 소리가 들려왔다고 해요. 난 그만 정신을 잃었고요.

나는 여섯 시간이나 기절해서 누워 있었대요. 굴뚝이 무너지면서 벽돌 한 조각이 내 머리 위로 떨어졌다지 뭐예요. 죽지 않은 게 기적이래요.

집 안은 엉망이 되었어요. 천장이 무너지고, 유리창은 모조리 깨져 버렸고, 수도관이 터져 온 집 안이 물바다가 되었지요. 어머니는 너무 놀라서 병이 나셨어요.

"대체 어떻게 이런 일이 일어난 거지?"

아버지와 누나들이 이 왜 이런 일이 생겼는지 너무 궁금해해서 나는 내 생각을 말씀드렸지요.

"산타 할아버지가 자루에 로켓 화약을 좀 넣어 가지고 있었는데, 그게 우리 집 굴뚝에서 터진 게 아닐까요?"

"그래, 네 말이 틀림없다."

닥터 무어가 이제 알겠다는 눈빛으로 고개를 끄덕였고,

난 남동생 없는 친구가 제일 부러워.
너 때문에 크리스마스 다 망쳤어!
조지! 이 집 안 꼴 좀 봐라!
난 조지가 한 짓인지 알고 있었어.
산타 할아버지 자루에 든 화약이 터진 게 아닐까요?

신음 소리를 내시던 아버지는 악을 쓰듯 소리치셨어요.

"조지, 대체 어쩌자고 굴뚝에 화약을 넣은 거냐?"

"아버지, 난 그냥 벽돌 서너 장만 날아가도록 하고 싶었을 뿐이에요. 산타 할아버지가 들어오시기 편하도록 굴뚝을 조금 더 넓히려고요. 그건 나쁜 짓이 아니잖아요?"

산타 할아버지가
들어오기 편하도록 굴뚝에
화약을 넣었대! 정말
위험한 장난을 했어.

"오, 그래! 나쁜 짓이 아니고말고! 집 수리비가 겨우 300달러 나올 테고, 어머니는 병이 났고, 네가 크리스마스 선물을 못 받게 되는 것쯤이야 아무렇지도 않겠지!"

아버지의 말을 듣고 나는 무척 슬펐습니다. 나 때문에 그렇게 많은 돈을 써야 하고, 어머니가 병이 나신 게 가슴 아팠어요. 그리고 무엇보다 몇 달이나 기다려 온 크리스마스 선물을 받지 못하게 된 것이 우울(憂鬱)했어요.

우울(憂鬱) : 근심스럽거나 답답하여 활기가 없음.

나는 머리에 혹은 좀 났지만 곧 걸어 다닐 수 있게 되었습니다. 나는 매일같이 나가서 아이들이 얼어붙은 호수 위에서 스케이트를 타는 것을 구경했어요. 굴뚝만 무너지지 않았으면 나도 지금쯤 새 스케이트를 신고서 신나게 놀고 있었을 텐데 생각할수록 너무 화가 났어요.

이웃에 사는 지미 블레이크가 내게 다가와 비웃으며 말했습니다.

"네가 굴뚝을 넓히려고 했다는 게 사실이냐? 넌 그럴 필요가 없었어. 산타 할아버지는 없어. 그냥 아버지랑 어머니가 산타 할아버지인 척하는 거라고."

수잔 누나에게 물어보니 지미의 말이 순 엉터리래요. 나는 지미보다는 우리 누나들의 말을 더 믿어요.

누나들을 위해서라도 빨리 집 수리가 끝났으면 좋겠습니다. 이렇게 추운 날씨에 집을 수리한다는 건 정말이지 끔찍한 일이랍니다. 누나들은 옷을 겹겹이 껴입고도 추워서 벌벌 떨고 있거든요.

그리고 누나들은 새해 전에 집 수리가 끝나지 않을까

봐 걱정하고 있었습니다. 손님들이 찾아오면 맞을 수가 없다는 거였지요. 그런 걱정은 할 필요가 없는데 말이에요. 이미 내가 다 해결을 해 놓았으니까요.

설날이 되었는데 아무도 찾아오는 손님이 없자 누나들은 기다리다 지쳐 얼이 빠져 버린 것 같았어요. 몇몇 젊은 이들이 대문 앞까지 왔지만 들어오지는 않았어요. 내가 초인종 손잡이에 바구니를 걸어 놓았거든요. 우리 누나들이 귀찮아하니 연하장年賀狀만 넣어 두고 돌아가라고요.

저녁이 되어 더 이상 손님이 찾아올 희망이 없어 보이자 누나들은 나를 다그쳤습니다.

"조지, 너 솔직히 말해. 너 또 무슨 짓을 저지른 거지?"

"내 눈을 똑바로 보고 말해."

누나들이 내 어깨를 움켜쥐고 흔드는 바람에 나는 고분고분히 내가 한 일을 말했어요.

연하장(年賀狀) : 새해를 축하하기 위해 간단한 글이나 그림을 담아 보내는 편지.

“난 그냥 신문에 광고를 냈을 뿐이야. 누나들이 너무 힘들까 봐 그런 거라고.”

누나들이 재빨리 지난 신문들을 뒤적여 광고란을 훑어보았습니다.

알려 드립니다.

하케트 씨 댁 아가씨들은 건강이 좋지 못합니다. 게다가 찾아오는 손님들을 대접하려면 할 일이 너무 많고, 지출이 너무 심합니다.

그러니 연말과 새해에 집으로 찾아오지 말아 주세요. 우리는 방문을 절대 사절합니다.

수잔 하케트

베시 하케트

누나들의 얼굴이 하도 하얘지는 바람에 나는 누나들이 쓰러지는 건 아닌지 걱정이 되었어요. 한참 뒤에 누나들이 말했어요.

"조지, 넌 이제부터 내 동생이 아니다!"

"이건 정말 너무해! 우리는 다시는 얼굴을 들고 다닐 수가 없을 거야."

나는 사랑하는 누나들이 편하게 자유 시간을 보낼 수 있길 바랐을 뿐이에요. 그 때문에 내 돈 25센트를 광고비로 쓰기까지 했다고요.

그리고 청년들이 오지 않으면 맛있는 과자나 사탕은 모두 내 차지가 될 거라고 생각했지요. 그런데 과자나 사탕은 먹지도 못하고 내 방으로 쫓겨났지 뭐예요. 우리 누나들은 정말 사랑을 받을 자격이 없는 사람들입니다.

4장
기숙 학교에 간 악동

이제 난 기숙 학교로 떠나야 한답니다. 아버지는 내가 골칫덩어리에 사고뭉치라며 기숙 학교에서 얌전하게 지내면 집으로 돌아올 수 있게 해 주신다고 약속했어요.

내가 떠나서 누나들은 즐거울까요?

아마 새 모자를 쓰고 교회에 가려고 모자 상자를 열었다가 까무러칠지도 몰라요. 내가 어제 그 안에 고양이를 넣어 놓았거든요.

하지만 난 기숙 학교에 가면 착한 아이가 될 거예요. 어머니한테 그렇게 약속했거든요. 기차역에서 헤어질 때 어머니와 베티가 펑펑 운 것을 생각하면 정말 가슴 아파요.

나는 기차에서 호주머니에 든 다람쥐를 쓰다듬으면서 어머니를 생각했어요. 아무도 내가 다람쥐를 가져가는지 모를 거예요. 학교에서 아침 식사 시간에 식탁 위에 다람쥐를 꺼내 놓으면 아이들이 좋아할까 싫어할까 정말 궁금해요.

여기서는 모든 것이 낯설어요. 낯선 집에, 낯선 사람들에, 형편없는 음식들. 지난밤에 나는 반 시간 동안이나 잠을 못 자고 어머니를 생각했어요. 어머니, 제발 이 가엾은 아들을 집으로 데려가 주세요!

오트밀은 귀리 가루로 죽을 쑤어 우유를 넣어 먹는 서양 음식으로 보통 아침에 먹는단다.

나는 피킨스 선생님이 내 글씨를 가지고 이러니저러니 하는 것을 참을 수가 없어요. 아침밥으로 나오는 오트밀은 소화가 안 돼요. 나보다 큰 애들이 나를 놀리는 것도 못 참겠어요. 그 애들은 식사 때 키가 작아 의자에 사전을 올리고 앉는 날 비웃었어요. 그리고 내게 마구 눈뭉치를 던지고, 내 장갑을 고

양이 머리에 매달았어요. 그런데 고양이가 학교 지붕 위로 올라가 버렸지 뭐예요. 그렇지만 난 울지 않았어요.

"씩씩한 녀석이구나. 마음에 드는걸."

잭 번스라는 형이 이렇게 말하며 내 편이 되어 주겠다고 했어요. 이래서 난 의지할 친구는 생겼답니다.

피킨스 선생님 사모님은 첫날에 우리 아버지와 악수를 하면서 이렇게 말했어요.

"걱정 마세요. 이제부터 제가 이 아이를 어머니처럼 돌보겠어요."

아버지는 그 말을 믿지 마셔야 했어요. 뚱뚱한 사모님은 전혀 친절하지 않답니다. 오늘 아침 일만 해도 그래요.

나는 아침 식사 시간에 피킨스 사모님이 식탁에 앉으려고 할 때, 앉기 편하시도록 뒤에서 의자를 빼 드렸어요. 그런데 사모님은 그런 예절禮節을 미처 익히지 못해서인지 그냥 땅바닥에 주저앉은 거예요. 쿵! 엄청난 소리가

예절(禮節) : 사람이 지켜야 할 예의에 관한 모든 절차나 질서.

학교 무너지는 거
아닐까?
엉덩이 무지
아프시겠다.
사모님은 예절도
안 배우셨나?
어이쿠! 어떤
녀석이야?
쿵!

나면서 바닥이 흔들릴 정도였답니다.

"이런 못된 장난을 치다니. 집에 편지를 써서 다 말해 줄 테다."

사모님이 내가 일부러 그랬다며 화를 내는 건 정말이지 옳지 못한 일이에요.

학교에서 배우는 교과서도 아주 웃깁니다. 산수 책에는 존이 연을 7개 갖고 있고 찰스가 그 두 배를 갖고 있다면, 찰스가 갖고 있는 연은 모두 14개라고 나와 있어요. 나는 이런 바보 같은 이야기를 들어본 적이 없어요. 한 아이가 14개의 연을 갖고 있다니, 얼마나 쓸데없는 일인가요? 바람이 아주 셀 때라도 끈만 넉넉히 갖고 있으면 될 것을 말이에요. 찰스의 연 날리는 솜씨가 아주 형편없는 게 분명해요.

그래도 마음에 드는 사람도 있어요. 미스 해븐이라는 노처녀인데, 기숙사에서 어린아이들을 돌봐 주는 일을 해요. 나는 그녀가 금방 좋아졌어요. 우리 집에서 일하는 베티처럼 내 이야기도 잘 들어 주고 상냥하거든요.

낯선 학교에 적응適應도 미처 하지 못한 어린아이에게 첫째 주부터 벌을 주는 건 피도 눈물도 없는 사람만이 할 수 있는 짓입니다. 내가 바로 그런 짓을 당하고 있어요. 내가 얼마나 불행한 아이인지 새삼 느낍니다. 저녁밥도 안 주고 벌을 내리다니요. 왜 내 운명에는 이렇게 우연한 일이 많이 일어나는지 정말 궁금해요.

나는 어제 차 마시는 시간에 혹시 내 과자를 쥐가 먹어 버리지나 않을까 불안해서 식당에 가 보았어요. 식당은 아주 따뜻했는데, 피킨스 선생님이 의자에 앉은 채로 쿨쿨 잠들어 있었어요. 사모님은 엉덩방아를 찧은 다음에 아직 자리에서 일어나지 못하셨기 때문에 거기에 계시지 않았지요.

선생님은 아주 이상한 소리로 코를 골았어요. 나는 처

적응(適應) : 일정한 조건이나 환경 따위에 맞추어 응하거나 알맞게 됨.

음에 그 소리가 새가 우는 소리거나 땅 밑으로 기차가 다니는 소리인 줄 알았어요.

나는 혹시 선생님이 편찮으신 건 아닌가 걱정이 됐어요. 소리를 자세히 듣기 위해서 선생님에게 살금살금 다가갔지요.

나는 보고 말았어요. 선생님의 머리카락이 머리에서 조금 들려 있는 걸요. 마치 머리 가죽이 떨어져 나간 것처럼 말이에요. 깜짝 놀란 나는 잭 형 방으로 달려 올라가 내가 본 것을 말해 주었어요.

"그거 가발이야. 선생님이 가발을 쓰는 거 몰랐니?"

잭 형이 별것 아니라는 듯 말했어요.

"가발이 뭐야?"

"인디언들이 벗겨 가는 머리 가죽 같은 거야. 흥! 누가 그 선생님 머리 가죽을 벗겨 가도 난 놀라지 않을 거야. 선생님은 아주 나쁜 사람이거든."

잭 형은 라틴 어 숙제를 해야 했기 때문에 나는 다시 식당으로 되돌아왔습니다. 피킨스 선생님은 아직도 코를 골고 있었고, 식탁 위의 접시마다 놓인 고기를 써는 나이프가 내 눈에 들어왔어요. 나는 나이프를 쥐고 살금살금 다가갔어요. 그리고 선생님 머리 둘레를 빙 둘러 나이프로 긋고는 머리 가죽을 조심스레 당겼지요. 머리 가죽은 쉽게 머리에서 떨어져 나왔어요. 나는 들키지 않고 무사히 식당을 빠져나올 수 있었어요.

"와! 와!"

나는 아이들이 모여 숙제를 하고 있는 방으로 소리를 지르면서 뛰어 들어갔어요. 한 손에 머리 가죽을 자랑스럽게 흔들면서 말이에요. 아이들은 난리를 치면서 선생님의 머리 가죽을 만져 보려고 했어요.

"나도 좀 보여 줘!"

우리는 모두 한 번씩 가발을 뒤집어써 보며 놀았어요. 그러다가 아이들이 내게 가발을 씌우고 책상 위에 올라가서 연설을 해 보라고 했어요. 나는 피킨스 선생님처럼 뒷짐을 지고 점잔을 빼면서 헛기침을 했습니다. 아이들은 배꼽을 잡고 웃었어요.

z z z
머리가
왜 갑자기
시원하지?
드르렁 푸~우~
크크! 안 들켰어!

"흠흠, 조용 조용! 오늘은 동물의 세계에 대해 배워 보도록 하겠다. 코끼리는 벼룩보다 훨씬 크지만, 벼룩이 더 잘 뛴다. 이상 끝. 나는 여러분들을 오래 붙잡아 두고 싶지 않다. 왜냐하면 나는 여러분들이 학교에서 제일 어린 조지 하케트 군에게 눈덩이를 던지고 싶어 한다는 걸 알기 때문이다."

잭 형이 내게 들키기 전에 어서 빨리 가발을 돌려 놓고 오라고 했어요. 그래서 나는 빨리 가발을 돌려 놓으려고 계단 난간에서 미끄럼을 타고 주르륵 내려갔어요.

그런데 부리나케 올라오시는 피킨스 선생님과 계단 아래에서 딱 부닥쳤지 뭐예요. 선생님은 내 구두 뒤축에 입을 부닥쳤는데, 피가 나고 이가 통째로 빠져 버렸어요. 나는 사람 이가 그렇게 쉽게 통째로 빠지는 줄 몰랐어요.

"이 못된 녀석!"

피킨스 선생님이 피를 닦으면서 너무나 무섭게 화를 내셨기 때문에 나는 몰래 방으로 들어가 난로 속에 가발을 던져 버렸어요.

“내 가발을 가져간 것도 너겠지, 조지 하케트? 그걸 어디에 뒀냐?”

조지, 장난이
너무 지나쳤어. 벌 받기
전에 얼른 가발을 돌려
드려!

“선생님께서 식당에서 주무실 때, 나쁜 사람들의 머리 가죽을 벗겨 혼내 주는 인디언들이 벗겨 간 것이 아닐까요?”

선생님이 너무 무지막지하게 나를 흔들어 댔기 때문에 나는 그만 울음을 터뜨렸습니다. 선생님이 나를 울렸다는 것을 알게 되면 우리 아버지, 어머니가 뭐라고 하실지 궁금해요.

선생님은 꼭 타조알 같은 머리를 하고서 아이들이 모여 있는 방으로 들어갔어요.

“가발이 어디 있는지 아는 사람은 순순히 말하는 게 좋을 거다.”

그렇지만 감히 아무도 말하는 사람이 없었지요. 선생님이 점점 더 화를 내면서 아무도 나서지 않으면 모두 혼내 주겠다고 하는 바람에 내가 조심스럽게 말씀드렸어요. 다른 아이들에게 피해를 줄 수는 없잖아요.

"쥐들이 구멍 속으로 끌고 들어갔나 봐요. 아니면, 고양이가 물고 갔을지도 몰라요. 아까 식당에서 고양이가 그걸 갖고 노는 걸 봤어요."

선생님이 나를 무섭게 노려보았어요. 나는 화제를 돌리면 선생님의 화가 좀 풀리지 않을까 싶어 열심히 질문을 했어요.

"선생님은 태어날 때부터 대머리였나요? 선생님은 왜 이가 없나요? 신이 선생님께 이를 주시는 걸 깜빡 잊어서 그런가요? 선생님이 화가 나셔서 정말 유감遺憾이에요. 하지만 선생님은 어린아이들에게 화를 내기에는 너무 나이가 많다고 생각하지 않으세요?"

아이들이 킥킥거렸고, 피킨스 선생님의 얼굴은 홍당무처럼 빨개졌어요.

"조지! 너, 너는…… 세상에서 제일 못된 녀석이다."

유감(遺憾) : 마음에 차지 아니하여 섭섭하거나 불만스러움.

선생님은 심하게 기침을 하시면서 나가 버리셨어요. 피킨스 선생님은 그날 이후로 감기에 걸리셔서 아직도 심하게 기침을 하고 계세요.

나는 선생님이 기침을 할 때마다 가발을 태운 것이 후회가 됩니다. 가발을 쓰지 않으면 선생님이 감기에 걸리는 줄 누가 알았겠어요. 그래서 말씀드렸지요.

"머리에 반창고라도 붙이시는 게 어때요, 선생님?"

미스 해븐의 말에 의하면 선생님은 벌써 새 가발을 주문해 놓았고 급행열차 편으로 도착할 거라고 해요. 그만하면 모두 다 잘되었는데도 피킨스 선생님 사모님이 나를 불러 벌을 준 것은 옳지 않은 일 아닌가요?

"넌 정말 나쁜 아이야, 조지 하케트."

사모님은 선생님이 심한 감기로 돌아가실까 봐 걱정된다면서 눈물을 흘렸습니다.

"선생님이 돌아가시면 학교 문을 닫겠네요. 그럼 난 집으로 돌아갈 수 있나요?"

사모님은 화를 내면서 내게 벌을 주고 저녁밥도 굶도록

했어요. 그리고 다음 날에도 하루 종일 방에만 갇혀 있도록 했어요. 정말이지 사모님은 조금도 친절한 사람이 아니에요.

가발 사건으로 사모님은 나를 무척 싫어하시게 된 것 같아요. 사모님은 툭하면 내게 화를 내고 벌을 줍니다. 내가 칠판에 사모님을 실제보다 아주 조금 더 뚱뚱하게 그린 것을 보고서 또 화를 내면서 내게 바보 모자를 쓰고 교실 한가운데 서 있으라고 했어요.

비보 모자는 공부를
못하거나 게으른 학생에게
벌로 씌우던 종이로 만든
고깔 모양의 모자야.

"바보 모자를 쓰느니, 차라리 가발을 쓰는 게 낫겠어요."

사모님은 더욱 화를 내면서 내가 한 짓에 대해 줄줄이 읊으셨어요. 그렇지만 그건 모두 오해예요. 방 안에 잉크를 쏟은 건 내가 아니라 고양이였어요. 나는 그냥 고양이 꼬리에 잉크병을 매달아 놓은 것뿐이라고요.

그리고 사모님 등 뒤에서 종이 뭉치를 던지고, 잠자리

에 들어야 할 시간에 일어나서 장난을 친 건 내가 아니라 다른 아이들이에요. 나는 그냥 옆에서 그 애들이 하는 것을 보고 흉내만 냈을 뿐이라고요.

딱 한 번 한밤중에 사모님 침대 밑에 숨어든 적은 있었어요. 사모님이 도둑이 든 줄 알고 놀라서 소동이 일어났는데 그건 나였습니다. 하지만 사모님은 그 이야기는 하지 않으셨어요. 아직도 도둑이 들었었다고 믿고 있거든요.

아무튼 나는 사모님이 툭하면 억울하게 벌을 주는 걸 모두 참고 견뎌 왔습니다. 그렇지만 정말 참기 힘든 일이 내게 일어났어요.

'도둑광'이라는 말을 들어 보셨나요? 남의 물건을 훔치는 것을 좋아한다는 뜻인데, 내가 바로 그거래요! 어제 나는 하루 종일 '도둑광'이라고 적힌 종이를 이마에 붙이고 있어야만 했습니다. 오해는 바로 이러한 일에서 비롯되었어요. 피킨스 사모님이 나를 방에 가둘 때마다 나는 심심해서 미칠 지경이었어요.

그런데 어느 날, 나는 바닥에서 연통 구멍을 발견한 거예요. 연통 구멍은 양철 조각으로 덮여 있었어요. 양철 조각을 뜯어 내자 밑에 바로 사모님의 화장대가 보이는 게 아니겠어요! 그날부터 방에 갇힐 때도 별로 심심하지 않게 지낼 수 있었어요. 낚싯대를 만들어서 이런저런 물건들을 낚으면서 시간을 보낼 수 있었거든요.

팔찌 몇 개, 레이스, 바늘겨레, 향수 한 병, 브로치 등등. 뚜껑을 떨어뜨려 다 쏟아지기는 했지만 분통도 하나 낚았답니다. 낚시가 끝나면 다시 구멍을 잘 덮어 놓아서 한동안 이 구멍의 존재를 아무도 눈치채지 못했어요.

그런데 사모님은 갑자기 그게 쥐나 고양이의 짓이 아니라는 의심을 품게 되었나 봐요. 갑자기 아이들 가방을 모두 조사했거든요.

내 작은 가방에서 레이스와 향수, 사모님의 안경, 바늘겨레, 손수건 여섯 개, 은시계와 선생님의 새 가발이 나왔을 때 사모님은 입을 딱 벌렸습니다. 모두들 내가 도둑질을 한 게 틀림없다고 생각하게 된 것 같아요.

이번엔 목걸이다!

그렇지만 대체 어떤 아이가 아무도 보는 사람이 없는데, 구멍을 눈앞에 두고 낚시 놀이를 하지 않을 수 있단 말인가요? 너무 억울한 마음에 구멍에 대해서 사실대로 말하자 구멍은 곧 단단하게 막혀 버렸죠. 나는 다시 재미없는 나날을 보내야 했답니다. 구멍에 대해 사실대로 말한 게 조금 후회가 돼요.

매주 금요일마다 피킨스 선생님은 깨끗한 옷으로 갈아입고 수업을 해요. 동네 어른들이 수업을 참관參觀하러 오시기 때문이죠. 금요일마다 몇몇 아이들이 앞에 나가서 작문을 읽거나 시를 암송하곤 합니다. 그런 날에는 미스 해븐이 내 머리를 빗겨 주고, 내게 뽀뽀를 해 주면서 특별히 당부하곤 한답니다.

"조지야, 오늘은 정말 착하게 굴어야 한다. 그러면 난 네가 더 좋아질 거야."

난 미스 해븐을 좋아하기 때문에 정말 착하게 굴려고

참관(參觀) : 어떤 자리에 직접 나아가서 봄.

노력했습니다. 그런데 그날은 내가 사람들 앞에서 작문을 낭독하도록 되어 있었어요. 나는 사람들 앞에서 원고原稿를 큰 소리로 읽었습니다. 원래 내가 낭독해야 하는 것은 이런 것이었어요.

나는 학교에서 정말 행복하게 지냅니다. 나의 일생 중에 가장 소중한 나날들입니다.

자녀들을 이런 좋은 학교에 보낼 수 있는 부모들은 감사를 드려야 할 것이며, 학생들 또한 이런 좋은 학교에 보내 주시는 부모님에게 감사해야 합니다. 거리에서 지내는 불쌍한 아이들은 이런 행복을 꿈조차 꿀 수 없기 때문입니다.

우리 국민이 위대한 것은 오로지 탁월한 교육 덕분입니다. 소년들을 위한 교육 기관은 상급 학교 진학을 위한 훌륭한 발판이 되어 주고 있습니다.

원고(原稿) : 인쇄하거나 발표하기 위하여 쓴 글이나 그림 따위.

이것이 피킨스 사모님이 내게 미리 건네준 원고였어요. 그러나 나처럼 착한 아이에게 거짓말을 하라니요? 나는 도저히 거짓말을 하지는 못하겠더라고요. 그래서 대신에 내가 온갖 노력을 기울여 쓴 원고를 꺼내 읽었습니다.

학교는 정말 지긋지긋합니다. 아이들을 학교에 보내는 부모를 둔 학생들은 정말 가엾습니다. 길거리의 가난한 아이들은 얼마나 행복한가요? 그 애들은 아침부터 밤까지 숨바꼭질을 하며 신 나게 놀지요. 나는 차라리 그 애들처럼 되고 싶습니다.

학교에 가고
싶어도 가지 못하는
아이들이 행복하다고?
조지가 아직 어려서
철없는 소릴 하는군.

학교는 세상에서 제일 나쁜 곳입니다. 학생들은 버터와 잼은 일주일에 눈곱만큼밖에 먹지 못하고 오트밀은 너무 자주 먹습니다.

내가 어른이 된다면 피킨스 선생님과 사

모님 같은 사람은 결코 되지 않을 것입니다. 이것이 내가 학교에 와서 얻은 교훈의 전부입니다.

내가 낭독을 마치자 사람들은 일제히 웃음을 터뜨렸어요. 피킨스 선생님과 사모님도 웃으셨어요. 입꼬리에 경련이 일어난 사람처럼 웃긴 했지만요.

참관회가 끝나고 마을 어른들이 돌아가자마자 사모님이 내게 다가왔어요.

"이 못된 녀석 같으니! 왜 내가 써 준 원고를 읽지 않았지? 넌 근본이 글러 먹은 녀석이야. 네 아버지가 두 사람분의 수업료를 낸다고 해도, 네 녀석을 맡는 노력의 보상報償은 안 될 거다!"

사모님은 나를 빈 교실로 데려가서 밀어 넣고 밖에서 문을 잠가 버렸어요.

바깥에서는 아이들이 웃고 떠드는 소리가 들려왔어요.

보상(報償) : 어떤 것에 대한 대가로 갚음.

모두가 즐거운데 나만 갇힌 처량한 신세가 되었다고 생각하니 집 생각이 더욱 간절히 났지요.

난로불이 꺼진 교실 안은 무척 추워서 나는 우선 불이라도 지펴야겠다고 생각했어요. 나는 난로 뚜껑을 열고서 공책을 찢어 안으로 던졌어요. 혹시라도 불씨가 남아 있다면 불을 지필 수 있겠다 싶어서요. 다행히 불씨가 남아 있어서 불이 확 타올랐어요.

나는 가방에 들어 있는 책과 공책, 자를 모두 불 속에 던져 넣었지요. 그런데 연통에서 연기가 조금 새는 것 같아서 막으려고 만지작거리자 녹슨 고물 연통이 아래로 뚝 떨어져 버렸어요. 곧 무시무시한 연기가 순식간에 교실 안을 가득 매웠어요.

"콜록콜록, 사모님! 날 내 보내 주세요! 연기 때문에 숨이 막혀 죽겠어요!"

교실 문을 아무리 두드려도 아무 대답이 없었어요. 나중에 들으니 그 시간에 사모님은 열쇠를 주머니에 넣은 채 외출을 하셨다고 해요.

콜록 콜록!
살려 주세요!

깜짝 놀라 달려온 미스 해븐이 잠긴 문을 잡아당기면서 발을 동동 굴렀어요.

"조지, 창문을 하나 깨고 고개를 밖으로 내밀고 있어! 내가 곧 사람들을 불러 오마! 조금만 참아!"

조지가 기숙 학교에
가서도 말썽을 부리는 걸
조지 부모님이 아시면
실망이 크시겠어.

창문은 꽁꽁 얼어서 깨기가 쉽지 않았어요. 그렇지만 나는 미스 해븐의 말을 믿고 최선의 노력을 다했답니다.

3분 뒤에 미스 해븐이 불러온 남자가 교실 문을 열었을 때는 교실의 모든 창문이 내 손에 박살이 난 뒤였어요.

피킨스 선생님이 달려와 교실을 보고는 무섭게 화를 냈어요.

"조지, 이 녀석! 너 어쩌자고 교실을 이렇게 난장판으로 만들어 놓은 게냐? 네 아버지에게 계산서를 보내야겠다. 그리고 너에게는 앞으로 한 달 동안 자유 시간을 주지 않겠다."

사모님은 그 말에 고개를 젓더니 이렇게 말했습니다.

"아니에요. 여보, 저 애를 계산서와 함께 보내 버립시다. 저 애를 데리고 있다가는 학교가 폐허가 되고 말 거예요. 저 녀석은 이집트 피라미드의 저주보다도 더한 재앙災殃덩어리예요. 차라리 벌을 주지 말고 저 녀석이 제 맘대로 놀도록 놔두어서, 제 발로 학교를 나가게 할 걸 그랬어요."

재앙(災殃) : 뜻하지 아니하게 생긴 불행한 변고. 또는 천재지변으로 인한 불행한 사고.

5장
만우절

나는 집으로 돌아오는 기차를 탔습니다. 피킨스 선생님은 나를 기차에 태워 주면서 차장에게 신신당부했어요.

"이 녀석을 조심하시오. 아주 무서운 녀석이라오. 도저히 같이 있을 수 없는 녀석이라서 하는 수 없이 학교에서 쫓아내는 길이니, 부디 내릴 때까지 눈을 떼지 마시오."

차장 아저씨는 내 등을 툭툭 치면서 웃었어요.

"어린 양처럼 순해 보이는 녀석이 대체 무슨 잘못을 저질렀기에 선생님께서 저렇게 말씀을 하시냐? 너 정말 학교에서 내쫓긴 거니?"

"그냥 운이 좀 없었던 것 같아요. 아저씨께서 듣고 싶으시다면 모두 이야기해 드릴게요."

차장 아저씨는 정말 조금 있다가 내 옆자리에 앉았습니다. 나는 내 억울한 사연事緣을 말씀드렸지요.

"아저씨는 꼬마가 부엌에서 만두피 반죽을 조금 가져갔다면 그 애를 내쫓으실 건가요?"

"음, 그랬다면 그건 좀 너무한 일이구나."

"그렇죠? 난 딱 한 덩어리만 갖고 왔을 뿐이에요. 그리고 그걸 얇게 펴서 내 얼굴에 붙이고 입 부분에는 구멍을 뚫었지요. 그런 다음에 사모님 방에 가서 의자에 앉아 홑이불을 뒤집어썼어요. 어두워질 무렵에 사모님이 등불을 들고 방에 들어오셨죠. 사모님은 정말 바보 같아요. 그렇게 놀라서 등불을 떨어뜨리지만 않았어도 기름이 쏟아지지 않았을 테고, 사모님 옷에 불이 붙는 일은 없었을 거예요. 그래도 잭 형이

사연(事緣) : 일의 앞뒤 사정과 까닭.

재빨리 사모님께 이불자락을 덮어 씌워서 사모님은 겨우 손에 물집 하나밖에 생기지 않았다고요. 난 괜히 죄송해서 사모님께 내가 갖고 있는 5달러를 드리겠다고 했지만 사모님은 필요 없다고 하셨어요. 그런데 나중에 들으니 집에 보내는 계산서에 다 청구請求하셨다지 뭐예요. 맙소사! 아버지께서 이런 오해를 어떻게 받아들이실까요? 난 언제나 운이 없어요. 아저씨, 혹시 내가 기차에서 할 일은 없나요? 아버지는 늘 나 때문에 돈이 너무 많이 든다고 하시는데, 나도 내 밥벌이를 하고 싶어요."

차장 아저씨는 일을 하기에는 내가 너무 어리다면서 가버렸어요.

아저씨가 다음 칸으로 가고 난 뒤 한 아이가 사탕을 팔러 왔어요. 나는 사탕 네 봉지를 1달러에 샀어요. 문득 내가 그 애보다 못할 것이 없다는 생각이 들었지요.

"사탕 사세요! 한 봉지에 1달러!"

청구(請求) : 남에게 돈이나 물건 따위를 달라고 요구함.

내가 벌떡 일어나서 말하자 사람들이 웃었어요. 그렇지만 살 생각은 없는 것 같았어요. 나는 칸칸이 돌아다녔는데, 아무도 사탕을 사지 않았어요. 그런데 마지막 칸이었던가 봐요. 문을 열자 아무것도 없고 눈앞에 바깥 풍경이 펼쳐졌거든요. 그 순간 기차가 심하게 덜컹거렸어요.

이제는 기차에서
떨어졌어! 조지가 치는
사고는 끝도 없어.

정신을 차리자 내 입 안과 귀 속은 눈으로 가득 차 있었어요. 눈 더미에서 기어나와 보니 기차는 이미 멀리멀리 떠나 버렸고, 나 혼자만 아무도 없는 기찻길 옆 눈 더미 위에 앉아 있었어요.

나는 주머니에 든 사탕을 하나 까서 입에 넣었습니다. 앞으로 어떻게 해야 할까, 사탕 네 봉지면 며칠 동안 살 수 있을까를 수학적으로 계산해 보고 있었지요. 그런데 갑자기 기차가 뒷걸음질을 쳐서 내 앞으로 달려오는 것이 아니겠어요!

차장, 기관사, 승객들이 모두 창문 밖으로 고개를 빼고 무언가를 찾고 있는 모습이 우스워 웃음이 나왔습니다. 얼굴이 허옇게 뜬 차장 아저씨가 나를 발견하고 버럭 화를 냈어요. 내 볼은 방금 전에 입에 문 사탕 때문에 빵빵해져 있었는데, 그게 아저씨를 더 화나게 한 것 같았어요.

"너 때문에 10분도 더 잡아먹었다. 냉큼 올라타!"

기차에 올라타자 사람들이 내 팔다리가 부러지지는 않았는지 요리조리 살피고 만져 보았어요. 여자들이 눈물을 흘렸다가 화를 냈나가 하는 바람에 나는 조금 기분이 언짢아졌답니다. 어디선가 많이 본 모습이었거든요.

어머니는 내게 늘 거짓말은 나쁜 거라고 말했고, 나도 그 말을 잘 지켜 왔다고 생각해요. 하지만 아까 차장 아저씨에게 내가 말하지 않은 것이 있는데, 그게 거짓말과 같은 것일지도 모른다고 생각하니 가슴 한구석이 콕콕 쑤셔 왔습니다. 그건 내 사랑하는 일기장이 고스란히 간직하고 있는 다음과 같은 이야기입니다.

나는 기숙 학교에 있을 때, 나는 미스 해븐에게 이런 편지를 보냈어요.

치―이―
오! 찾아서 다행이에요.
저기 찾았군요.
아이가 떨어졌대요.
이 녀석아! 냉큼 올라타지 못해!
지겁
허겁
어른들은 왜 별것도 아닌 일에 저렇게 화를 내는 걸까?

나는 당신이 바라시는 대로 좋은 아이가 되고 싶어요.
당신이 원하신다면 저는 노력을 아끼지 않을게요.
당신의 사랑하는 작은 친구 조지로부터

미스 해븐이 눈물을 흘릴 만큼 감동感動을 받았던 같은 시간에 피킨스 선생님 사모님은 이런 편지를 받았대요.

상미꽃은 붉고, 제비꽃은 푸른데
피클이 시큼하듯 당신은 시큼하네.

내가 그 편지는 잭 형이 보낸 거라고 했지만 사모님은 내 글씨라고 우겼어요. 하지만 그런 편지쯤은 용서했을 테니 사실을 따져서 뭐하겠어요. 사모님을 정말 화나게 하고 미칠 지경에 빠뜨린 건 다른 일이었으니까요.

사모님을 참을 수 없을 지경까지 몰고 간 건 누가 사모

감동(感動) : 크게 느끼어 마음이 움직임.

님이 애지중지愛之重之하는 고양이에게 낚싯바늘이 꽂힌 고기를 먹인 거였어요. 아니, 어쩌면 그것쯤은 괜찮았는지도 모르겠어요. 그 녀석은 어항에도 낚싯바늘을 드리워 금붕어를 모조리 꺼냈어요.

하지만 어쩌면 그래도 참을 수 있는 힘이 사모님에게 있었을지 몰라요. 그 녀석이 스케이트를 타다가 얼음 구멍에 빠져서 반쯤 죽은 걸 꺼내야 했던 일이 없었다면요.

생각을 해 보니 어쩌면 어떤 녀석이 사모님의 등에 '나는 한 방울만 더 부어도 넘치는 술통'이라고 쓴 종이만 붙이지 않았다면 사모님은 모든 걸 용서하고 잊어버렸을지도 몰라요. 그리고 사모님의 잠옷을 훔쳐다 개한테 입히고서 잔뜩 약을 올려 개가 옷을 질질 끌고 달아나 온 읍내를 돌아다니지만 않았다면 말이지요.

기차가 휙휙 달리기 시작하자 차장 아저씨가 와서 말했습니다.

애지중지(愛之重之) : 매우 사랑하고 소중히 여기는 모양.

"너 이 녀석아. 눈 더미에 떨어진 걸 큰 행운으로 알아라. 아무래도 너는 교수형감으로 태어난 것 같구나."

말의 내용은 좀 그랬지만 차장 아저씨가 화를 내면서 말한 건 아니었어요. 그래서 나는 예전에 집에서 도망쳐 나와 벳시 아주머니 댁에 갈 때 만났던 친절한 기관사 조수 아저씨 이야기를 했지요.

그리고 내가 학교에서 쫓겨난 것을 알면 우리 누나들이 나를 가만두지 않을 테니 차장 아저씨네 집에서 함께 살면 안 되냐고도 물어보았습니다.

"그건 안 돼. 난 노총각이라서 널 보살펴 줄 수가 없거든. 그건 그렇고 누나들이 기차역으로 마중을 나올까? 누나들은 예쁘냐?"

기차가 역에 도착하자 내 가슴은 두근두근 뛰었어요. 차장 아저씨는 내가 안전하게 내리는지 뒤에서 지켜보겠다고 하셨지요. 플랫폼에는 수잔 누나가 와 있었어요. 새 모자에 털외투를 입은 수잔 누나는 천사처럼 아름다웠어요. 수잔 누나 못지않게 예쁜 베시 누나도 웃음을 지으며 날 바라보았어요.

“차장 아저씨, 우리 누나들이에요!”

뒤에서 차장 아저씨가 웃으면서 모자를 벗어 인사를 했습니다. 안녕, 차장 아저씨. 나중에 커서 기차의 차장이 되는 것도 한 번 생각해 봐야겠어요.

“요 귀여운 녀석아, 오랜만에 뽀뽀 좀 하자꾸나.”

수잔 누나와 베시 누나는 번갈아 가면서 내 뺨에 입을 맞추었어요.

“네가 없어서 집이 정말 쓸쓸했단다. 집에 얼른 가자. 네가 좋아하는 음식을 준비해 놓았단다.”

역시 가족이
최고야! 아무리 말썽을
부려도 가족은 늘 따뜻하게
감싸 주잖아.

나는 집에 들어서자마자 식당으로 달려가 꿀단지에 붙은 파리처럼 정신없이 음식들을 해치웠어요. 정말 만족스러운 식사 시간이었지요. 아버지는 학교에서 보내 온 계산서를 보고 얼굴이 굳어졌고, 내가 기차에서 떨어졌던 이야기를 들은 어머니가 현

기증을 일으킨 것만 빼면 말이에요. 아버지께서 나를 부르시더니 조용한 목소리로 타이르셨어요.

"조지야, 아버지는 네가 이제부터 새로운 생활을 시작했으면 한다. 너도 커 가면서 달라지는 모습을 보여 줘야 하지 않겠니? 이제부터 어떤 행동을 하기 전에는 이 행동을 해도 좋은가를 딱 두 번만 생각하도록 해라."

그때 마침 우리 집 개 카로가 안으로 들어오려고 하고 있었는데, 아슬아슬하게 문이 닫혀 개 꼬리가 문틈에 끼일 것 같았어요.

"조지야, 문을 잡아라."

그렇지만 내가 문을 잡아야 할지 두 번 더 생각하는 사이에 개 꼬리가 문틈에 끼고 말았어요. 불쌍한 카로는 몹시 아픈 듯 깽깽 소리를 내며 달아나 버렸어요.

푹신한 내 침대! 역시 우리 집이 최고입니다. 얼마나 포근하고 아늑한지요. 나는 이제부터 정말 잘못을 저지르지 않는 착한 아이가 되겠어요. 일기장아, 그렇지?

나는 요새 아주 얌전하게 지내고 있어요. 연을 날리다가 옆집 조니를 다치게 했거든요. 사실 조니가 바보 같아서 일어난 일이지 내 책임이 있는 건 아니지만, 그래도 조니가 발목을 다쳐서 집 밖에도 못 나오는 걸 보면 안됐다는 마음이 들어요. 온 읍내 사람들이 조지가 장난을 치지 않으니 심심하다고 그런대요.

어느덧 4월이 되었어요. 4월 1일, 다들 알고 있듯이 아주 중요한 날이에요. 바로 만우절이죠. 애들은 한 달 전부터 내내 그날 무슨 장난을 칠 건지 떠들어 댔지요.

내내 얌전하게 지내던 나는 3월 31일 밤에 마을 회관 의자 밑으로 숨어들었어요. 누군가 따분한 설교를 한참을 했는데 꾸벅꾸벅 조는 사람이 많았지요. 설교가 끝나자 사람들이 모두 나가고 주위가 조용해졌어요. 수위 아저씨가 들어와 불을 끄고 문을 잠그고 가 버렸습니다. 나는 어둠 속에서 몇 시간을 더 기다렸습니

거짓말이 용서되는
만우절이지만 누구나
웃어넘길 수 있는 가벼운
거짓말만 해야 한다는 걸
모두들 명심해!

다. 그러다가 때가 되었죠.

나는 더듬더듬 어둠 속을 더듬어서 사다리 뒤에 있는 줄을 힘껏 잡아당겼습니다. 그 줄은 읍내에 큰 불이 났을 때만 울리도록 되어 있는 종에 연결되어 있었어요. 종이 아주아주 큰 소리로 울리는 바람에 나는 한쪽 손으로 귀를 막고서 줄을 잡아당겨야 했지요.

정말 재미있는 광경이었어요. 5분도 채 안 돼서 거리가 잠옷 바람으로 뛰쳐나온 사람들로 가득 찼습니다. 스폰스 씨는 가발 쓰는 것을 잊었고, 행크스 할머니는 틀니 끼는 걸 잊어 먹고 나왔어요.

"어디야? 어디서 불이 났어?"

우왕좌왕하는 사람들 틈을 비집고 수위 아저씨가 건물로 뛰어 들어오는 것이 보였어요. 얼마나 빨랐는지 미처 숨을 틈도 없었지요. 아저씨는 나를 보고 숨을 씩씩 몰아쉬었어요.

"아저씨, 오늘은 4월 1일이잖아요."

그렇지만 나는 유머 감각이라고는 없는 그 아저씨에게

댕~ 댕~
아직도 심심하신가요?
불이야~ 불이야
불! 불이야! 어디서 불이 난 거야?
조지가 또 장난 친 거 아냐?
스푼스 씨는 대머리였잖아?

혼쭐이 난 뒤에 아버지의 손에 넘겨져 집으로 돌아가야 했습니다. 웬일인지 아버지는 한마디도 하시지 않았어요. 그리고 식구들도 아무도 나를 야단치지 않았지요. 아침을 먹을 때 수잔 누나는 내게 두툼한 팬케이크를 건네주기까지 했습니다.

"조지야, 밤을 새느라 얼마나 피곤하겠니. 갓 구운 팬케이크라도 먹고 기운 내렴."

나는 먹음직스러워 보이는 팬케이크를 덥석 깨물었다가 퉤 뱉어 냈어요. 그건 솜에 달걀 물을 입혀 구운 가짜 팬케이크였거든요. 나만 빼고 온 식구가 얼굴이 벌게지도록 웃어 댔습니다. 그다지 보기 좋은 모습은 아니더군요.

누나들이 만날
조지한테 골탕만 먹더니
이번엔 조지가 누나들한테
당했어.

나는 학교 가는 길에 몇 가지 별것 아닌 장난을 더 쳤습니다. 나는 나올 때 어머니 지갑을 슬쩍 해 갖고 나왔는데, 거기에는 수표 한 장밖에 안 들어 있었어요. 나는 지갑을 길에 떨어뜨려 놓고 누가 주

워 가는지 살폈습니다. 늘 잘난 체하는 변호사 아저씨가 주우면 소문을 퍼뜨려서 망신을 줄 생각이었습니다.

그런데 변호사 아저씨가 오기도 전에 부랑자 같은 늙은 영감이 그만 지갑을 주워서 주머니에 쑤셔 넣고 가 버리는 바람에 김이 새고 말았지요.

그 다음에는 우체국에 들러 전보를 한 장 썼습니다. 전보국 직원 아저씨가 나를 반겼어요. 그 아저씨는 베시 누나를 좋아하거든요. 나는 전보지에 '닥터 무어 급히 와 주기 바람. 릴리 중태重態. 이미 포기 상태. 몬테규 드 존스.'라고 쓰고서 그걸 닥터 무어의 약국으로 보냈어요. 얼마 뒤에 헐레벌떡 역으로 달려가는 닥터 무어를 보고서 얼마나 웃었는지 모른답니다.

나는 정말 학교에 가지 않을 생각은 없었어요. 그런데 이런저런 일을 좀 하다 보니 이미 시간이 너무 늦어 버리고 말았습니다. 나는 배가 너무 고파서 우선 도시락을 까

중태(重態) : 병이 심하여 위험한 상태.

먹기로 했어요. 아침에 가짜 팬케이크 때문에 제대로 먹지를 못했거든요.

나는 베티가 가방에 넣어 준 샌드위치를 꺼냈어요. 베티의 샌드위치는 언제나 맛있어요. 나는 아무 의심 없이 크게 한 입 베어 물었다가 또 퉤퉤 뱉어 낼 수밖에 없었어요. 그건 가짜 팬케이크보다 더 심했어요! 톱밥에 후춧가루 범벅의 소스였거든요. 이런 짓을 한 건 착한 베티가 아니라 고약한 베시 누나일 거예요.

약이 잔뜩 오른 나는 주인이 나를 모르는 새로 생긴 꽃가게로 들어가서 무지 비싼 꽃들만 골라서 한 다발을 만들었어요. 그러고는 꽃가게 아저씨에게 전보국 직원 아저씨의 명함을 주고 부탁했지요.

"꽃다발에 이 명함을 꽂아서 베시 하케트 양에게 보내 주세요. 계산서는 전보국의 사무실로 보내시고요."

그 아저씨는 웃으면서 그렇게 하겠다고 했습니다.

점점 더 배가 무지무지하게 고파 왔지만 내 주머니에는 1센트밖에 없었어요. 그 돈으로 사 먹을 수 있는 건 땅콩

뿐이어서 나는 피터스 아저씨의 가게로 갔습니다.

"여, 조지! 땅콩으로 네 배가 다 차겠냐?"

그래서 나는 건포도랑 치즈랑 생강 과자를 잔뜩 먹고서 우리 집 앞으로 달아 놓았습니다. 피터스 아저씨는 참 말이 잘 통하는 사람이에요. 아저씨는 자기가 어릴 때는 나는 상대도 못 될 만큼 개구쟁이였다면서 무용담武勇談을 잔뜩 얘기해 주었습니다.

"그래서, 내가 그 얼빠진 남자에게 어떻게 해 줬느냐면 말이야……. 어! 저게 뭐지?"

가게 바닥에는 온통 시커먼 물이 흐르고 있었어요.

"설탕 시럽 통에 구멍이 난 거 아닐까요?"

치즈를 씹으면서 내 생각을 말하자 피터스 아저씨는 나를 째려보더니 다짜고짜 내 어깨를 잡고 흔들었어요.

"네가 몰래 통에 구멍을 뚫었지? 이 천하에 몹쓸 녀석 같으니라고!"

무용담(武勇談) : 싸움에서 용감하게 활약하여 공을 세운 이야기.

아저씨는 화를 내면서 날뛰다가 설탕 시럽을 밟고 미끄러져 벌러덩 넘어졌어요. 아저씨가 시럽 범벅을 하고 일어서는 꼬락서니가 얼마나 우스운지 나는 그 모습을 오래 보고 싶었지만, 그렇게 하지 않았습니다. 어머니가 늘 사람들이 나쁜 말을 할 때는 그 자리를 떠나라고 말씀하셨거든요. 나는 어머니 말씀을 따랐습니다.

집에서 저녁을 먹는데 수잔 누나는 닥터 무어가 하루 종일 안 보인다며 궁금해하고, 베시 누나는 명함을 들여다보고 있고, 어머니는 지갑이 없어졌다고 했습니다.

"지갑에 100달러짜리 수표가 들어 있었는데, 정말 이상하네. 그걸 어디다 뒀지?"

난 그만 기절할 것 같았습니다. 1달러 수표가 아니라 100달러였다니! 이건 감추면 안 되는 일이잖아요. 그래서 나는 솔직하게 내가 그걸 길에다 떨어뜨려 놨는데 부랑자 영감이 주워 갔다고 말씀드렸어요. 아마 다시 찾으러 가면 양심적으로 되돌려 주지 않을까요?

온 식구가 얼굴이 창백해졌습니다.

"맙소사! 그건 수잔을 결혼시킬 돈인데!"

"조지! 넌 끝까지 내 결혼을 방해하는구나!"

그때 초인종이 울리더니 베티가 영수증을 들고 와 아버지에게 건넸습니다. 피터스 아저씨가 보낸 영수증이었어요. 설탕 시럽 한 통, 새 양복 한 벌, 치즈 1파운드, 생강 과자 1파운드의 가격이 빼곡이 적혀 있었지요.

파운드는 무게의
단위로 1파운드는
약 450그램에
해당한단다.

아버지가 굳어진 얼굴로 막 나를 쳐다보는데, 닥터 무어가 식당으로 불쑥 들어왔습니다. 화가 잔뜩 난 사람처럼 보였어요.

"하루 종일 어디에 계셨던 거예요?"

수잔 누나가 달려가 묻자 닥터 무어는 나를 흘깃 쳐다보며 말했어요.

"저기 있는 천사 같은 아이에게 물어보시죠."

온 식구들이 나를 둘러싸고 한마디씩 하는 바람에 나는 저녁밥도 제대로 먹을 수가 없었습니다. 정말 나처럼 어린 소년을 이렇게 하루 종일 굶기는 집안이 또 있는지 알고 싶어요.

"재를 고치는 데는 한 가지 방법밖에 없습니다. 아버님이 허락하신다면, 지금 해 보겠습니다. 약을 먹인 다음에 맥을 따고, 겨자 연고를 등 전체에 바른 다음에 가슴에 거머리 열두 마리를 붙여 놓는 겁니다. 그 다음에 마취를 시키고 두 발을 절단하는 거예요. 그러면 한동안은 나쁜 짓을 못할 겁니다."

"그거 훌륭한 생각이네."

나는 곧바로 집에서 튀어나와 도망을 쳤습니다. 나오면서 베티에게 차비를 꾸어 릴리 누나에게로 갔지요. 릴리 누나는 닥터 무어가 멀쩡한 릴리 누나를 보고서 어떤 표정을 지었는지 설명해 주면서 한참을 웃었습니다.

"그렇지만, 조지. 다시는 그런 장난을 치면 안 돼. 응?"

나는 다시는 심한 장난을 치지 않겠다고 릴리 누나에게 약속했습니다. 그렇지만 만우절에 소년이 장난을 좀 쳤다고 해서, 두 발을 자르려는 닥터 무어의 생각은 정말 옳지 못해요.

그거 아주 좋은 방법이군.
지금 당장 해 보게.
아버님께서
허락하셨으니 그럼
해 보겠습니다.
쟤는 도대체 누굴
닮아 저럴까? 휴!
호호호, 조지가
겁을 먹을 때도
다 있네.
닥터 무어는 분명히 어릴 때
나보다 더 사고뭉치였을 거야.

릴리 누나가 닥터 무어에게 나를 용서해 달라는 편지를 보내고 나서야 나는 집으로 돌아갈 수 있었습니다. 닥터 무어는 언젠가 내 나쁜 버릇을 고칠 수 있는 방법을 꼭 한 번 시험해 보겠다고 벼르고 있답니다.

나는 집에 돌아와서 베시 누나의 잔소리도 들어야 했답니다. 그 전보국의 아저씨가 베시 누나에게 보낸 꽃다발 일을 내가 꾸민 거라고 고자질했나 봐요. 꽃값도 다 치러 놓고서도 왜 말을 해서 사람을 난처하게 하는지 모르겠어요.

6장

수잔 누나와 닥터 무어의 결혼

수잔 누나와 닥터 무어가 결혼식을 올리기로 했어요. 정말 다행이에요. 만약 일이 잘못되었다면, 나는 평생 수잔 누나의 원망을 들어야 했을 거예요.

닥터 무어가 수잔 누나에게 파혼 선언을 했을 때는 얼마나 가슴이 아팠는지 몰라요. 그렇지만 그건 내 잘못이 아니라 에디슨인지 뭔지 전기를 발명한 사람 잘못이에요. 그 사람은 어쩌자고 그런 걸 만들어 냈는지 모르겠어요.

닥터 무어가 자기 약국에 전지電池를 들여놨다고 자랑

전지(電池) : 온도 차, 방사선, 빛 따위로 전극 사이에 에너지를 발생시키는 장치.

하는 걸 듣고서 나는 그 물건이 보고 싶어졌어요. 나는 옆집에 사는 조니와 함께 숨어 있다 닥터 무어가 가게 문을 닫고 나간 뒤 창문을 넘어 약국 안으로 들어갔어요.

그 물건을 찾기는 했는데 어떻게 해야 할지 몰라서 나는 우선 조니에게 거기 달려 있는 손잡이들을 서로 접촉시켜 보게 했어요. 조니는 내가 시킨 대로 하자마자 갑자기 공중으로 내동댕이쳐진 것처럼 나가떨어지더니 움직이지를 않는 거였어요.

"얘, 조니! 일어나 봐!"

조니는 아무리 흔들어 깨워도 정신을 차리지 못했어요. 나는 어른들을 불러와 조니를 보살피게 했습니다. 어른들은 모두 조니가 죽은 줄 알았대요. 조니 어머니는 두 번 다시 내 얼굴을 보려 하지 않았고, 사람들은 모두 나를 못된 아이라고 말했습니다. 닥터 무어도 나를 무섭게 야단쳤어요.

"네가 내 영업을 다 망쳐 놓고 있다는 걸 아니? 사람들이 네가 장난을 쳤을까 봐 내 약을 먹기를 겁낸단 말이다! 제발 약국에 있는 물건을 건드리지 말아 다오."

나는 내가 닥터 무어에게 큰 잘못을 했다는 걸 깨달았습니다. 그래서 다시는 닥터 무어의 약국에서 장난을 치지 않기로 결심했습니다.

나는 꽤 오랫동안 닥터 무어의 약국 근처엔 얼씬도 하지 않았답니다. 그런데 하루는 약국으로 심부름을 갔다가 선반 위에서 쥐를 보았지 뭐예요. 나는 좋은 일 한 번 해야겠다고 마음먹었습니다. 닥터 무어가 저녁 때 우리 집에 온 틈에 나는 몰래 가게 안에 고양이를 넣었습니다. 좋은 일은 남모르게 하라는 말도 있으니까요.

색깔도 냄새도 없는
황산은 강한 산성으로
금과 백금을 제외한 대부분의
금속을 녹이는 성질을
갖고 있단다.

닥터 무어가 다시 약국으로 돌아갔을 때, 가게 안은 난장판이 되어 있었고 그때까지도 고양이와 쥐는 서로 쫓고 쫓기면서 약병들을 부수고 있었습니다. 황산 병이 떨어져서 가게 양탄자에 커다랗게 구멍이 나 있었대요. 그런데 고양

이가 불쌍하게도 황산에 발이 빠졌던 모양이에요. 고양이는 닥터 무어의 얼굴로 달려들어 황산이 묻은 발로 코를 할퀴고 달아나 버렸습니다.

다음 날 닥터 무어가 우리 집에 찾아왔을 때, 얼굴에는 반창고가 더덕더덕 붙어 있었고 코는 보통 때보다 두 배나 더 크게 부풀어 있었습니다. 수잔 누나가 그 모습에 크게 웃지만 않았어도 닥터 무어가 그렇게 화를 내지는 않았을 거예요.

"아하하하, 아하하하하, 앗하하하하하."

"하케트 양, 당신은 내 꼴이 재미있습니까? 하지만 나는 전혀 그렇지 못하군요. 나는 당신 동생에게 두 손 두 발 다 들었습니다. 또 당신에게도요. 나는 당신 동생과 절대로 가족이 될 마음이 없습니다. 그러니, 이제 우리 사이는 여기서 끝이에요. 안녕히 계십시오, 영원히!"

수잔 누나의 얼굴에서 웃음기가 싹 사라졌지만 닥터 무어는 뒤도 돌아보지 않고 가 버렸습니다.

그날부터 닥터 무어는 우리 집에 발길을 딱 끊었고, 수

아하하하하하하
하하 하하 앗하하하
저 코 좀 봐!
정말 우습다!
큰일 났다! 수잔 누나가 노처녀로 늙어 죽게 되면 어떡하지?
당신 동생과 가족이 되었다가는 무슨 꼴을 당할지 모르겠군요. 우리 사이는 영원히 끝이에요.

잔 누나는 아무것도 먹지 않고 자기 방에서 울기만 했어요. 베시 누나는 내 얼굴을 볼 때마다 따귀를 때렸습니다. 좋은 뜻으로 한 일이 수잔 누나를 노처녀로 만들 줄 누가 알았을까요? 난 정말 운이 없다고 다시 한 번 생각할 수밖에 없었어요.

마을에는 닥터 무어가 아그네스 주웰이라는 아가씨를 만난다는 소문이 돌았습니다. 아그네스는 우리 마을에서 제일 예쁜 아가씨예요. 수잔 누나는 그 아가씨와 옛날부터 사이가 나빴어요. 그 아가씨가 닥터 무어에게 편지를 보낸 적이 있다나요. 수잔 누나가 큰 소리로 우는 소리가 아래층까지 들려서 나는 마음 편하게 밥을 먹을 수조차 없었습니다. 난 도저히 가만히 있을 수 없었어요.

닥터 무어가
다른 아가씨를 만나다니,
수잔 누나가 얼마나
마음이 아플까?

나는 집에서 살짝 빠져나와서 아그네스 주웰 양의 집으로 찾아갔습니다. 피아노 앞에 앉아 있던 주웰 양은 나를 보자 웃음을 터뜨리더군요.

"오, 조지구나! 잘 지내지?"

"아그네스 양, 닥터 무어가 고양이가 고작 약병 몇 개 깬 일로 우리 누나를 울리는 게 옳다고 생각하세요? 닥터 무어에게 우리 누나가 밥도 안 먹고 매일 울기만 해서 드레스가 헐렁해졌다고 말 좀 전해 주세요. 그리고 조지가 가만두지 않겠다고 하더라는 말도 전해 주세요. 난 그 아저씨를 결혼 약속을 깬 죄로 고소할 거예요. 그리고 이 다음에 크면 결투決鬪를 신청하겠어요!"

"아니다, 조지."

그때 누군가 나를 가볍게 들어 올려서 자기 어깨에 태웠는데, 그건 놀랍게도 닥터 무어였어요.

"조지야, 결투 같은 건 하지 말고 우리 다시 친하게 지내자꾸나. 나도 그동안 너희 누나와 똑같은 마음이었단다. 너희 누나와 이야기를 하고 싶구나. 정말 미안합니다, 주웰 양."

결투(決鬪) : 원한이나 모욕 따위를 풀기 위해 일정한 형식 아래 벌이는 싸움.

나는 닥터 무어의 어깨에 탄 채로 기세등등하게 집으로 돌아왔어요. 아버지랑 어머니가 수선을 떨며 닥터 무어를 맞는 사이에 나는 위층으로 뛰어올라가며 외쳤지요.

"수잔 누나! 좀 나와 봐! 닥터 무어가 왔단 말이야!"

수잔 누나는 내 말이 끝나기도 전에 나는 듯이 계단을 내려갔어요. 나는 누나가 이렇게 중얼거리는 것을 들은 것 같아요.

"아그네스 수웰, 최후의 승리자가 누군지 이제 알겠지."

닥터 무어는 수잔 누나의 눈물을 닦아 주며 미안하다고 말했어요. 두 사람은 닥터 무어의 코가 다 가라앉으면 결혼식을 올리기로 했답니다. 이렇게 해서 모든 게 다 잘 되었어요. 제일 좋은 건 베시 누나가 내 뺨을 갈기는 대신에 키스를 해 준 것입니다.

닥터 무어와 수잔 누나의 결혼식이 모레인데, 나는 아파서 자리에 누워 있습니다. 그리고 사람들은 모두 이 불쌍한 소년을 비난하고 있어요. 이제 겨우 열 살인 소년이 무슨 큰 잘못을 했다고 다들 그러는지 모르겠어요. 아무튼 나는 다시는 여자아이들과 놀지 않을 거예요.

어제 나는 숲 속에 놀러 갔는데, 거기서 미니 브라운과 루시 휠러를 만났습니다. 그 애들은 꽃을 꺾으러 왔다고 했어요. 개울을 보자 나는 멋진 생각이 떠올랐습니다.

수잔 누나가
닥터 무어와 결혼을
한대! 정말 축하할
일이야.

"너희들, 신앙심信仰心 깊은 아이가 되고 싶지 않니?"

"물론 되고 싶지."

그래서 나는 그 애들에게 개울물로 세례를 해 주기로 했습니다. 우리는 먼저 엄숙하게 기도를 올렸고 그 뒤로 나는 그 애들에게 옷을 입은 채 물속으로 들어가라고 했습니다.

신앙심(信仰心) : 신이나 초자연적 절대자를 믿고 따르는 마음.

"겁내면 안 돼. 신앙심 깊은 아이는 옷이 젖는 걸 겁내지 않는 거야."

기독교에서
모든 죄악을 씻는 표시로
세례를 할 때 물속에 몸을
담그는 예식을 치러.

그런데 물에 들어가 있는 시간이 아주 약간 길었던 모양입니다. 루시 휠러가 덜덜덜 떠는 바람에 나는 서둘러서 그 애의 머리에 물을 끼얹고는 이제 그만 물 밖으로 나가자고 했어요. 그런데 발을 헛디딘 그 애가 그만 넘어지더니 물살에 휩쓸려서 떠내려가는 거예요. 나는 그 애를 잡으려고 무지 애를 썼지만 잡지 못했어요. 그 애를 구한 건 비명을 듣고 달려온 어른들이었지요. 어른들은 윗옷을 벗어서 여자애들을 감싸고는 집으로 데려갔습니다.

불쌍한 한 소년은 눈에 보이지도 않았나 봐요. 나는 물을 뚝뚝 떨어뜨리면서 혼자서 걸어서 집으로 돌아왔습니다. 그때부터 지금까지 나는 목이 아파서 간신히 죽만 삼킬 수 있는데도, 사람들은 나 같은 나쁜 아이는 그래도 싸다고 그래요. 미니 브라운은 감기에 걸렸고, 루시 휠러는

폐렴에 걸려서 위험했대요.

닥터 무어가 루시 휠러가 위험한 고비를 넘겼다고 말하는 걸 들었는데, 사람들은 왜 그리 법석인지 모르겠어요. 그 애가 나아서 신앙심이 더 깊어진 모습을 보여 주면 그때는 사람들이 나를 비난하지 않게 될 거예요.

아무튼 나는 빨리 목이 나았으면 좋겠어요. 그래야 결혼식에 참석할 수 있을 테니까요. 어머니랑 누나들, 베티까지도 결혼식 준비로 바쁘다면서 방 안에 누워만 있는 나를 잘 들여다보지도 않아요. 닥터 무어만 매일 들러서 내 상태를 진찰하고 약을 주고, 내 말동무가 되어 줍니다. 닥터 무어는 참 좋은 사람이에요. 나는 닥터 무어가 수잔 누나와 결혼하게 되어서 진심眞心으로 기쁘답니다.

그런데 오늘 아침에 나는 닥터 무어가 수잔 누나에게 이렇게 말하는 것을 엿듣고 말았습니다.

"조지는 이제 다 나았소. 그렇지만 저 녀석에게는 아직

진심(眞心) : 거짓이 없이 참된 마음.

자기가 아프다고 믿게 해야 해. 그래야 우리가 무사히 결혼식을 올릴 수 있을 거요. 악동이 가장 귀여울 때는 침대에 얌전히 누워 있을 때니까 말이오."

"당신도 참 짓궂네요. 그렇지만 당신 생각이 옳아요."

이럴 수가! 정말 이럴 수는 없습니다! 닥터 무어가 그동안 내게 준 약은 토하게 하는 약이었던 것입니다. 내가 아프다고 믿도록, 일부러 먹은 것을 토하게 하는 약을 줘서 매일같이 토하게 한 거라고요. 세상에! 의사가 이래도 되는 건가요?

나는 그것도 모르고 약을 꼬박꼬박 먹고 침대에 누워 있었던 거예요. 내가 그를 친구라고 생각한 게 억울합니다. 그는 못된 사기꾼이에요. 그리고 그런 행동을 옳다고 칭찬까지 한 수잔 누나는 남자한테 빠져서 동생까지 외면하는 나쁜 누나입니다.

나는 계속 아픈 척하며 침대에 누워서 닥터 무어가 주는 구토제를 받았어요. 물론 먹는 척하면서 뱉어 내 버렸지요. 난 결혼식 날이 되기를 손꼽아 기다렸습니다.

드디어 결혼식 날 아침이 되었어요.

"조지야, 네가 같이 갈 수 없어서 참 안됐구나."

식구들은 침대에 누워 있는 내 얼굴을 들여다보면서 입에 침도 바르지 않고 이런저런 거짓말을 늘어놓더니 자기들끼리 나가 버렸습니다. 나는 모두가 나간 뒤에야 침대에서 일어났지요. 나는 이미 계획을 다 세워 두었거든요.

릴리 누나
결혼식 때도 소동을 피워
결혼식을 엉망으로 만들어
놓고서 또 무슨 짓을
저지르려는 거지?

베티가 내 옷을 다 감춰 둔 바람에 나는 다 떨어진 바지에 슬리퍼를 신을 수밖에 없었어요. 결혼식 예복禮服으로는 예의에 어긋난 차림이지만, 내 잘못이 아니니까 난 상관없어요.

나는 전속력으로 골목길을 달려 아직 아무도 도착하지 않은 교회에 제일 먼저 도착할 수 있었어요. 나는 교회지

예복(禮服) : 의식을 치르거나 특별히 예절을 차릴 때에 입는 옷.

기 아저씨의 눈을 피해서 설교단 밑으로 기어 들어갔습니다. 채 5분도 지나기 전에 사람들이 교회에 들어오기 시작했어요. 나는 사람들이 자리에 앉는 소리, 소곤거리는 소리며 촛불에 불을 붙이는 소리까지 들을 수 있었지요.

"신랑 신부가 도착했다!"

다리에 쥐가 나려고 할 때쯤 예식이 시작되었습니다. 예식 진행을 맡은 슬로쿰 목사님이 단 위에 서자 풍금 소리가 은은하게 울려 퍼졌습니다. 슬로쿰 목사님이 말했어요.

"이 결혼에 이의異議를 제기하실 분이 계시다면 지금 이 자리에서……."

"여기 이의 있습니다!"

나는 번개같이 단 위로 튀어나가면서 외쳤습니다. 그렇

이의(異議) : 다른 의견.

게 많은 사람들이 단체로 넋이 나가 있는 모습은 정말 웃겼어요. 물을 끼얹은 듯이 조용했던 교회 안은 곧 시장처럼 시끌시끌해졌어요.

얼굴이 백지장처럼 하얘진 수잔 누나는 닥터 무어의 팔을 꽉 잡았습니다. 마치 닥터 무어가 달아나지 못하도록 붙잡는 것만 같았어요. 아버지랑 어머니, 닥터 무어는 마치 불시에 곰에게 기습을 당한 노루 같은 표정을 지었습니다. 당황한 슬로쿰 목사님은 벌어진 입을 다물지 못했지요. 나는 얼른 말을 계속했습니다.

"누나 결혼식에 오지 못하게 하려고 일부러 4시간마다 토하는 약을 먹이고 병이 다 낫지 않았다고 속이는 나쁜 의사가 과연 좋은 매형이 될 수 있을까요?"

사람들이 모두 미친 듯이 웃어 댔습니다. 교회 안에서 그렇게 웃어 대다니, 슬로쿰 목사님은 그 사람들의 신앙심을 의심해 봐야 합니다. 그런데 목사님도 웃고 계시지 뭐예요.

"조지야, 내가 잘못했다. 다시는 안 그러마. 그만 나를

하하
조지야, 제발 오늘만은 말썽 좀 부리지 마렴!
아유, 내가 쟤 때문에 못살아!
환자에게 일부러 토하는 약을 먹이는 의사가 어디 있어요? 그럼 제가 결혼식에 못 올 줄 아셨어요?
누가 저 아이 좀 얼른 말려 주세요!

하하하하
저 녀석이
나타날 줄
알았다니까!
약을 잘못
준 거 아녜요?

용서해 주렴."

나는 닥터 무어의 사과를 받아들였습니다. 결혼식은 다시 치러졌습니다. 몇몇 실없는 사람들이 중간 중간에 웃음을 터뜨리는 바람에 썩 엄숙하지는 못했지만요.

우리 식구들은 이번 사건을 통해 나를 화나게 하면 안 된다는 교훈을 얻은 것 같아요. 그 뒤로는 나를 깍듯이 대해 주었거든요. 나는 새 옷으로 갈아입고 피로연에도 참석해서 케이크며 과일이며 맛있는 음식을 잔뜩 먹을 수 있었습니다. 매일 죽만 먹다가 오랜만에 음식을 먹으니까 살 것 같았어요. 그런데 나는 닥터 무어가 수잔 누나에게 이렇게 말하는 것을 들었습니다.

"우리도 집을 구하지 말고 호텔에서 사는 게 어떻겠소? 집을 구하면 조지 녀석이 드나들 테니까 말이야."

"좋은 생각이에요."

7장

안녕, 사랑하는 일기장아!

독립 기념일 전날에 우리 마을에서 굉장한 행사가 있을 거래요. 광장에서 열기구를 띄우기로 되어 있대요. 공기보다 가벼운 가스를 기구에 채우고서 올라탄 다음에 밧줄을 끊으면 그게 공중으로 날아간대요.

얼마나 멋진 일인가요! 나는 열기구의 주인인 교수님을 찾아가 나도 열기구에 태워 달라고 부탁 드렸지요.

"그거 참 재미있겠구나. 네 부모님께서 허락하신다면 생각해 보마."

만세! 난 열기구를 타고 하늘을 날 거예요. 높이 올라서 점점 작아지는 집과 사람들을 쳐다보면 얼마나 재미있

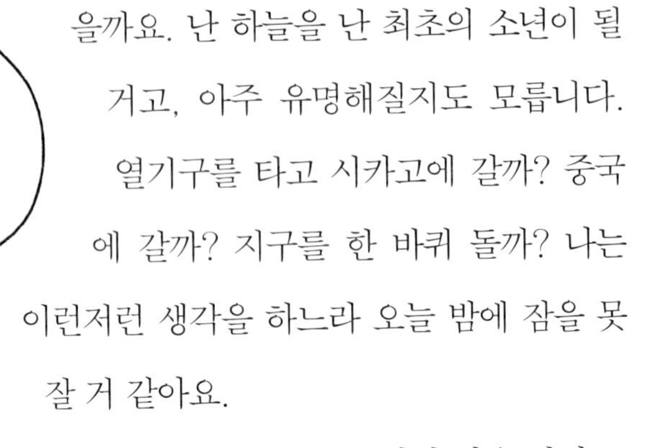
열기구는 기구 속의
공기를 버너로 가열하여
팽창시켜 바깥 공기와의
비중의 차이로 떠오르게
만든 기구를 말해.

을까요. 난 하늘을 난 최초의 소년이 될 거고, 아주 유명해질지도 모릅니다.

열기구를 타고 시카고에 갈까? 중국에 갈까? 지구를 한 바퀴 돌까? 나는 이런저런 생각을 하느라 오늘 밤에 잠을 못 잘 거 같아요.

부모님에게는 말씀드리지 않을 거예요. 분명히 허락하시지 않을 것 같거든요. 그냥 나 혼자 일이 잘 되도록 해 볼 거예요. 내일 아침 일찍 교수님을 찾아가서 열기구 조종하는 방법을 미리 배워 놔야겠어요.

다음 날 아침 나는 수잔 누나네 집에 간다고 하고 교수님에게 달려갔지요. 그 뒤 어떻게 됐냐고요? 그날 읍내 신문에 실린 기사가 모든 걸 말해 줄 거예요.

조지 하케트, 어디로 갔나?

조지 하케트가 대체 언제 열기구에 숨어 들어갔는지

는 아직 밝혀지지 않았습니다. 스스로 땅과 연결된 밧줄을 끊었는지, 아니면 밧줄이 저절로 풀어졌는지도 아직 확실히 밝혀지지 않고 있습니다. 그 자리에 있었던 사람들 모두 보았듯이 교수가 기구에 가스를 채워 부풀린 다음 열기구에 타려고 했을 때 그 거대한 열기구는 이미 하늘로 올라가고 있었습니다. 바구니에 꼬마 조지 하케트를 태운 채로. 교수는 조지 하케트가 밧줄을 끊은 게 분명하다면서 열기구 값으로 조지 하케트의 부모에게 1000달러의 소송을 걸겠다고 말했습니다.

하늘로 올라가는 열기구에서 손수건을 흔들던 모습이 꼬마 조지 하케트의 마지막 모습이었습니다. 그 뒤로 벌써 일주일이 흘렀습니다. 아직 아무런 소식도 없고, 열기구에 대한 단서도 발견되지 않았습니다. 그의 부모와 가족, 그리고 언제나 꼬마 조지 하케트를 아꼈던 마을 사람들은 점점 희망을 잃어 가고 있습니다. 모두가 조지 하케트가 무사히 돌아오는 기적이 일어나길 바라고 있습니다.

우아, 집들이 저렇게
작아! 기차는 마치
기어가는 것 같아!

내 사랑하는 일기장! 열기구를 탄다는 건, 생각보다 훨씬 훨씬 더 위험한 일이었어요. 신이 난 건 처음 몇 초뿐이었고, 그 다음에는 춥고 무서워서 견디기 힘들었답니다. 내 머리가 하얗게 세 버리는 건 아닐까 생각할 정도였어요.

그렇습니다. 나는 혼자서 열기구에 딸린 바구니에 올라탔고, 바구니가 둥실 떠오르는 것을 느꼈습니다. 사람들이 점점 작아지기 시작했고, 나는 그들에게 손수건을 흔들었어요.

마을이 한눈에 내려다보이고 기차가 느릿느릿 기어가는 게 보이고, 들판과 강물이 보일 때까지는 그래도 괜찮았지요. 그런데 열기구가 점점 더 높이 올라가서 아무것도 보이지 않게 되자 덜컥 겁이 나기 시작했어요.

하늘 위는 얼마나 추운지 몰라요. 두꺼운 옷도 준비하지 못한 나는 덜덜 떨다가 교수님이 바구니 속에 넣어 둔 가방을 뒤져 보았습니다. 빵 몇 개와 작은 술병 하나가 나오더군요. 나는 너무 추운 나머지 술을 조금 마셨어요. 그러자 열이 확 오르면서 추위도 덜해지고, 기분도 좀 나아지더군요.

나는 기구에 구멍을 뚫으면 기구가 다시 아래로 내려갈 거라고 생각했어요. 그래서 바구니와 기구를 연결시킨 밧줄을 타고 기어 올라가서 주머니칼로 기구에 구멍을 몇 개 뚫었어요. 어려운 작업을 끝내고 다시 바구니 안으로 돌아와서는 빵을 몇 개 먹었지요. 그러고 나니 피곤해서 잠이 쏟아졌어요.

나는 좀 자려고 몸을 웅크리고 누웠습니다. 한참 잠을 자다가 꿈에서 베티가 내 아늑한 침대에서 자는 나를 흔들어 깨우는 바람에 잠에서 깼습니다. 깬 다음에도 나는 한동안 여기가 내 방이라고 생각했어요. 그렇지만 내 방이 그렇게 추웠던 적은 일찍이 한 번도 없었으므로, 곧 열기구 안이라는 것을 알았지요.

주위는 캄캄한 밤이었습니다. 그리고 저 아래는 온통 뭔가 빛나고 매끄러워 보였어요. 나는 한참을 보다가 그게 바다 아니면 호수라는 걸 알았어요. 열기구가 그 위로 천천히 떨어지고 있었던 거예요. 나는 열기구를 높이 뜨

게 하려고 바구니 안에 있는 모래주머니를 아래로 던지려고 했지만, 모래주머니는 너무 무거워서 내 힘으로는 들 수도 없었어요.

'아, 나는 이제 죽는 거구나.'

그 순간 나는 이제 끝이라고 생각했어요. 그러자 아버지랑 어머니, 누나들과 베티 생각이 났습니다. 이제까지 말썽을 부려서 걱정만 끼쳤는데, 이렇게 죽으면 아버지 어머니는 내가 죽었는지 살았는지조차 모르실 거라고 생각하니 서글퍼졌어요.

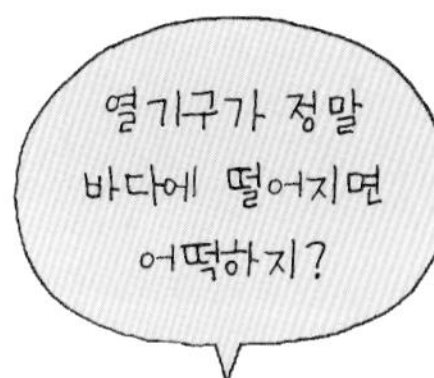

열기구가 정말
바다에 떨어지면
어떡하지?

나는 마지막이 될지도 모른다고 생각하면서 남아 있는 빵을 먹기 시작했습니다. 내가 안 먹으면 물고기 밥이나 될 테니까 먹어 주자고 생각했지요.

두 개째의 빵을 씹고 있는데, 물 가운데 검은 얼룩이 하나 보였어요. 나는 그게 고래라고 생각했는데, 점점 아래로 내려가자 그건 섬인 것이 분명해 보였습니다. 그리고 조금 뒤에 열기구는 그 섬에 있는 나무 위로 가볍게 내려 앉았어요.

나는 끈으로 열기구를 나무에 동여매서 고정시킨 뒤에 우선 바구니로 돌아가서 잠을 좀 자기로 했습니다. 그 섬은 무척 따뜻해서 기분 좋게 잘 수 있을 것 같았거든요. 게다가 너무 놀란 탓인지 기운이 하나도 없었어요.

잠에서 깨어 보니 해가 머리 위에 떠 있었어요. 나는 우선 빵을 좀 먹은 다음에 섬을 둘러보았어요.

무인도無人島인 그 섬은 아주 작아서 섬을 다 둘러보는 데 한 시간도 걸리지 않았습니다. 섬을 탈출할 만한 배 같은 것을 찾아보았지만 그런 것은 보이지 않았습니다. 다행히 마실 물을 찾을 수 있었고, 위험한 야생 동물 같은 것도 없는

무인도(無人島) : 사람이 살지 않는 섬.

것 같았어요.

나는 바구니로 돌아와 마지막으로 남은 빵을 먹고 물을 마셨습니다. 이제 먹을 것도 없는데, 앞으로 무얼 먹고 살아야 할까 걱정이 되었어요. 솔직히 말해서 나는 조금 울었습니다. 어린 소년이 로빈슨 크루소처럼 외딴 무인도에 혼자 떨어졌다고 생각해 보세요. 누구도 나를 겁쟁이라고 할 수 없을 거예요.

다음 날 나는 일어나자마자 막대기를 하나 주워 거기에 눈금을 하나 표시했어요. 내가 여기에 온 지 하루가 지났다는 뜻으로요. 그런 뒤 먹을 것을 찾아 하루 종일 섬을 헤매고 다녔어요. 조개껍데기를 몇 개 발견했지만 그것은 알맹이 없이 속이 빈 것들이었어요. 나는 쫄쫄 굶은 채로 잠자리에 들 수밖에 없었습니다.

다음 날에 나는 막대기에 눈금을 하나 더 긋고는 또 먹을 것을 찾아 헤맸습니다. 배가 고프다 못해서 아플 지경이었어요. 나는 나무를 볼 때마다 거기에 빵이 열려 있었으면 좋겠다고 생각했어요.

그리고 우리 집 오늘 저녁 식탁에는 무엇이 올랐을지 생각했지요. 우리 식구들은 내가 없어져서 좋아하고 있을 것만 같았어요.

“그 말썽쟁이 녀석이 없어지니까 속이 시원하구나. 자, 다들 닭고기나 실컷 먹자고. 그렇게 많이 먹어 대는 녀석 때문에 이제까지 돈이 얼마나 많이 들었는지, 원.”

내 머릿속에 아버지가 이렇게 말씀하시며 닭다리를 잡는 모습이 떠올랐어요.

해가 지기 시작해 내 기분은 점점 더 침울沈鬱해져만 갔어요. 그런데 갑자기 물 위로 배 한 척이 보이는 게 아니겠어요!

“도와주세요! 여기 사람이 있어요!”

나는 막대기에 손수건을 매달아서 팔이 빠지도록 열심히 흔들어 댔어요. 그런데 나중에 들으니 그런 수고를 할 필요가 전혀 없었더라고요. 그 배는 나무에 열기구가 매

침울(沈鬱) : 걱정이나 근심에 잠겨서 마음이 우울함.

반찬값도 절약할 수 있어 정말 좋아요!
마음 놓고 닭고기나 실컷 먹으라고.
조지가 없으니까 밥맛이 아주 좋은걸.
이렇게 평화로운 식사 시간이 얼마 만인지 모르겠어요.
앙! 집에 가고 싶어! 이제 집에 가면 정말 착한 아이가 될 테야.

달려 있는 것을 보고 이상하게 여겨 섬으로 오는 중이었대요.

"안녕하세요?"

"세상에! 얘야, 어떻게 된 거냐?"

나는 먼저 먹을 것을 좀 달라고 청한 다음에 배를 좀 채웠어요. 그러고는 그 뱃사람들에게 내가 열기구를 타고 겪은 일을 이야기했지요. 모두 놀라면서 세상을 많이 돌아다녔지만 이런 일은 처음이라고 했어요.

캐나다에서 출발한 그 배의 선장님은 영국 사람이었어요. 선장님은 마침 내가 사는 곳과 가까운 도시에 들를 거라면서 나를 거기까지 데려다 주겠다고 했어요. 선장님은 늘 내게 친절했고, 감자튀김과 생선구이와 버터와 잼을 바른 빵 등 맛있는 식사를 주었어요. 아주 점잖은 분이었어요. 그래서 나는 음식을 조금만 먹고 사양辭讓했답니다.

"잘 먹었습니다, 선장님. 배가 너무 불러서 더 이상은

사양(辭讓) : 겸손하여 받지 아니하거나 응하지 아니함.

못 먹겠어요. 저는 양이 작거든요."

고기는 5인분, 빵은 겨우 여섯 개, 감자튀김은 단 네 접시. 점잖은 분들 앞에서는 먹는 걸 사양할 줄 알아야 한다고 책에서 읽었거든요.

선장님이 열기구에 대해서 궁금해하시기에 나는 내가 타고 왔지만 그 열기구는 내 것이 아니라 어느 교수님의 것이고, 아주 비싼 거라고 말했습니다. 그러자 선장님은 뱃사람들에게 열기구를 가져 와서 배에 실으라고 했습니다. 정말이지 점잖은 분이세요.

그렇게 나흘 동안 배에서 즐거운 시간을 보냈습니다. 뱃사람들은 모두 친절하고 재미있는 사람들이었어요. 내가 그동안 장난 친 이야기를 하면 아저씨들은 모두 배꼽을 쥐고 웃었어요.

"이 꼬마 정말 물건일세!"

아저씨들도 내게 바다의 마녀며, 깊은 곳에 사는 괴물이며 흥미진진한 이야기를 잔뜩 해 주어서 집 생각이 전혀 나지 않았습니다. 나는 나중에 커서 뱃사람이 되는 것도 생각해 봐야겠어요.

나흘 뒤에는 버펄로 항구에 도착했습니다. 아저씨들과 헤어지는 건 정말 섭섭했어요.

조지가 무사히
집에 도착해서 다행이야.
조지, 이제 말썽 좀 그만
부리고 착한 소년이
되어 보라고!

"잘 가라, 조지! 시집가지 않은 누나에게 안부 전해 주렴!"

나는 기차를 타고 저녁 무렵에야 우리 마을에 도착했어요. 모두 깜짝 놀라게 해 주려고 선장님에게 우리 집에 아무 소식도 전하지 말아 달라고 했지요.

나는 사람들 눈에 띄지 않게 뒷골목을 돌아서 집 앞에 도착했습니다. 식구들이 나에 대해서 뭐라고 말하는지 듣고 싶어 나는 뒷마당으로 살금살금 들어가서 불이 켜진 식당 창문을 들여다보았습니다.

식탁 위에는 먹음직한 요리들이 차려져 있었어요. 우리 요리사 아줌마가 한 음식들이 얼마나 먹고 싶던지!

그런데 모두가 깨작이면서 새 모이를 먹는 것처럼 조금씩밖에 먹지 않는 거예요. 어머니는 아예 손수건을 눈가에 대고 계셨고, 베시 누나와 수잔 누나, 릴리 누나도 창백한 얼굴로 코를 훌쩍였습니다. 아버지와 매형들은 아무 말 없이 허공만 쳐다보고 있더라고요. 아니, 무슨 이런 식사 시간이 다 있담!

나는 창문을 넘어 안으로 뛰어 들어가며 외쳤어요.

"모두 나처럼 무인도에서 지내 봐야 우리 아줌마 요리 솜씨가 얼마나 훌륭한지 알게 될 거예요. 아, 배고파라! 나한테 먹을 것 좀 줘요!"

난리법석도 그런 난리법석은 다시는 없을 거예요. 모두 눈물범벅이 되어 나를 껴안고 키스를 퍼붓는 통에 정신을 차릴 수가 없었답니다. 그래도 누나들이 키스하는 건 참겠는데, 매형들까지 덤벼들어 키스를 하는 건 좀 참기 힘들었어요.

다음 날 읍내 신문에는 이런 기사가 실렸어요.

조지 소년, 돌아오다!

열기구를 타고 날아가 행방불명되었던 조지 하케트가 돌아왔습니다. 조지 하케트는 미국과 캐나다의 국경에 있는 호수의 한 섬에서 표류하다가 지나가던 배에 구조되었다고 합니다. 이 기적과도 같은 일에 소년의 가족은 물론이고, 마을 사람들 또한 기쁨과 놀라움을 감추지 못하고 있습니다.

한편 조지 하케트 씨는 열기구의 주인이 걸었던 1000달러의 소송으로부터도 자유롭게 되었습니다. 열기구를 되찾은 주인은 기구에 뚫린 구멍을 수리할 비용만 받으면 더는 소송을 진행하지 않겠다고 밝혔습니다.

내 사랑하는 일기장, 신문에 대문짝처럼 크게 얼굴이 실린 나는 요즘에 부끄러워서 일기를 쓸 수가 없답니다. 아주 오랫동안 일기를 쓰지 못할 것 같아요. 내가 동화책에 나오는 아이들처럼 착해질 때까지, 안녕, 일기장!

말썽 부리지 않는 착한 아이가 되면 다시 일기를 쓸게. 그때까지 안녕, 사랑하는 일기장아!

PART 3

깊어지는 논

논술은 무엇보다
읽기 쉽도록 써야 하는 게
가장 중요해!

깊어지는 논술

작품 소개

악동 일기 (A Bad Boy's Diary))

이 책은 미국 작가 메타 빅토리아 빅터가 1880년에 발표한 〈악동일기〉 가운데 재미있는 일화만을 간추린 것입니다. 겨우 열 살 난 소년 조지 하케트가 어른들을 골탕 먹이고 쩔쩔매게 만드는 모습이 시종일관 폭소를 터뜨리게 만듭니다.

조지 하케트의 말썽은 때로 어른들의 위선과 속물근성을 폭로하는 역할을 하기도 합니다. 못 말리는 악동이 빚어내는 재치와 어른들의 세계를 조롱하고 풍자하는 유머가 함께 어우러져 있는 것이 이 작품의 매력입니다. 때로는 조지가 저지르는 말썽이 심각한 피해를 일으키지만, 가족과 이웃들은 이 소년에게 따뜻한 애정을 품고 있으며, 소년은 모두를 기쁘게 해 주는 착한 아이가 되면 다시 일기를 쓰기로 결심한답니다.

▲ 빅토리아 빅터가 발표한 책들의 표지예요.

작가 소개

빅토리아 빅터 (Victoria Victor, 1831 ~ 1885)

미국의 문인 가문에서 태어난 빅토리아 빅터는 월터 그레이라는 이름으로 〈악동 일기〉를 발표했어요. 책이 전 세계적으로 인기를 끌고 나서야 작가가 빅터라는 사실이 밝혀졌지요. 작가가 50대의 여성이라는 것이 알려졌을 때, 사람들은 모두 의아해했다고 해요. 발칙한 악동 조지 하케트를 창조해 낸 인물이 점잖은 나이의 부인이라는 사실이 놀라웠기 때문이지요.

빅터가 익명으로 발표한 까닭은 당시 시대에 주인공 조지 하케트가 너무나 파격적인 악동이었기 때문이에요. 자칫 어린아이들에게 나쁜 영향을 준다는 비난을 받을 수도 있는 상황을 염려했기 때문이었지요. 그러나 이 책은 발표되자 미국, 영국, 독일 등 세계 여러 나라에서 베스트셀러가 되었고, 지금까지도 작가는 〈악동 일기〉의 작가로 이름을 남기게 되었습니다.

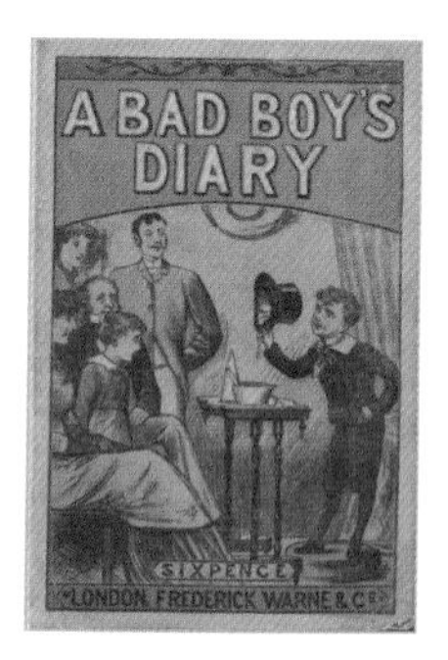

▲ 빅토리아 빅터의 대표작인 〈악동 일기〉의 표지예요.

여러분의 일기에는 행복과
사랑이 넘치기만을 바랄게요!

악동이여, 영원하라!

〈악동 일기〉를 재미있게 읽었나요? 아마 여러분은 이 작품을 읽으면서 여러 번 폭소를 터뜨렸을 것 같아요. 조지 하케트의 못 말리는 말썽과 능청에 웃고, 약이 올라서 어쩔 줄 모르는 어른들의 모습에서는 어쩐지 통쾌함도 느꼈을 것입니다.

이 작품의 주인공인 열 살 소년 조지 하케트는 최강의 말썽꾸러기입니다. 여러분 자신이 말썽을 피운 적도 있고, 여러분 주위에도 못 말리겠다 싶은 말썽꾸러기 친구가 꽤 있겠지만, 조지 하케트에 비할 수 있는 악동은 책에서도, 현실에서도 그리 흔하지 않을 것입니다.

조지가 저지르는 일들을 보면 입이 떡 벌어집니다. 집을 부수고, 마을 회관을 불태우고, 열기구를 타고 실종되고……. 정말 어른들의 말대로 장래가 근심스러울 지경이지요.

그런데 조지가 남을 해치기 위해 나쁜 마음을 품고 말썽을 부리는 것은 아닙니다. 종종 어른들을 골탕 먹이는 것을 좋아하긴 하지만 생각과 마음은 순진무구합니다. 조지의 장난은 아이의 순진한 생각에 과한 행동력이 더해져 비롯된 것들이지요.

산타클로스 할아버지가 집에 들어오기 편하도록 굴뚝을 넓히려는 생각이나 닥터 무어를 돕기 위해서 약국에 고양이를 풀어 놓은 것 등이 그러합니다.

비록 그러한 행동이 엄청난 결과를 불러오지만 어른들이 조지를 미워하거나 탓할 수만은 없는 까닭은 그 행동이 순진하고 미숙한 생각에서 비롯되었기 때문입니다.

또한 조지는 가족을 생각하는 귀여운 마음씨를 갖고 있기도 합니다. 가끔씩은 조지 덕분에 제자리를 찾는 일들도 생깁니다. 누나들이 사랑하는 사람과 결혼할 수 있었던 것도 조지 덕분이라고 할 수 있지요. 그래서 작품 속에서 어른들은 조지를 골치 아파하면서도 미묘하게 애정을 품고 있습니다.

조지가 열기구를 타고 실종되었을 때 온 마을 어른들이 조지를 걱정하고 기다린 것이나 조지의 장난이 뜸하면 마을 사람들이 심심해하는 것을 보면 이 악동이 사람들에게 미움만 받는 존재가 아니라는 것을 알 수 있지요.

악동 조지 하케트는 여러모로 어른들과 대비됩니다. 열 살 소년 조지의 맑고 단순한 시선에 비친 어른들은 겉으로는 체면을 차리며 교양 있는 신사숙녀인 척하지만, 속으로는 다소 계산적이고 속물적인 근성을 갖고 있습니다. 그리고 조지 하케트의 말썽은 종종 의도하지 않게 어른들의 속물근성을 겨냥하여 감춰졌던 위선을 겉으로 드러나게 만들지요.

조지의 부모님이 사윗감을 고를 때 돈을 중요하게 생각했다거나, 누나들이 뒤에서 남을 험담하는 버릇을 갖고 있는 것, 또 선생님들이 학생들을 인격적으로 대하지 않고 돈줄로만 생각하는 것 등의 사실은 조지의 장난으로 인해 겉으로 드러나 한바탕 소동을 부릅니다. 독자가 통쾌함을 느끼는 것은 바로 이러한 부분들이지요.

조지에 대한 마을 사람들의 생각은 책을 읽는 독자의 생각이기도 합니다. 조지 하케트는 분명히 지독한 말썽쟁이이며, 때로는 때려 주고 싶은 마음까지 들게 하는 능청맞은 악동이지만, 어쩐지 미워할 수 없는 우리의 주인공입니다.

책을 읽으며 못 말리는 악동의 모습 속에서 어린아이들은 지금의 자기 자신의 모습을 발견하고, 어른들은 지나간 어린 시절의 자신을 발견하게 되는 것입니다.

작품의 끝에서 조지는 자신의 행동이 어른들을 슬프게 만드는 것을 반성하고, 착한 아이가 될 것을 고민합니다. 악동이 성숙해져서 어른이 되어갈 준비를 하는 것이지요.

독자는 조지의 변화를 응원하면서도 이제는 조지가 선사하는 거침없는 웃음보따리 선물을 더 이상 받을 수 없음에 어쩐지 섭섭함을 느낍니다.

그러나 한 악동이 점잖은 어른이 된 뒤에는 다른 악동이 뒤를 이어서 끊임없이 등장할 테니, 악동은 영원하답니다. 악동이 사람들에게 주는 웃음이 끊길 일은 절대로 없을 거예요.

그러니, 여러분도 성숙해지는 것을 두려워하지 말고 크게 웃으며 이렇게 외쳐 보세요. 악동이여, 영원하라!

악동 조지 하케트가 말썽을 부릴 때마다 조지의 부모님이 걱정을 하시는 걸 보고 부모님께 걱정을 끼치지 않는 착한 아이가 되어야겠다고 생각했어.

나는 조지 하케트가 일기를 쓰면서 반성을 하는 모습을 보고 나도 일기를 꼬박꼬박 써야겠다고 마음먹었어.

PART 4

논술 워크북

논술을 잘하려면
문장을 정확하게 써야 해!

논술 워크북

논술 1단계 | 꼭 알고 넘어가요

1-1 조지 하케트는 만우절에 어떤 짓을 저질렀나요?

1-2 조지가 읍내 신문 기사에 난 까닭은 무엇인가요?

HINT

작품을 꼼꼼히 읽고 물음에 답하세요.

2 조지의 아버지는 어린 조지를 멀리 떨어진 기숙 학교에 보냈습니다. 그러나 조지는 금방 퇴학을 당하고 말았습니다. 조지의 아버지가 아들을 기숙 학교에 보낸 까닭은 무엇이었으며, 그것이 실패한 이유는 무엇인지 생각해 보세요.

HINT

조지의 아버지가 왜 아들을 가까운 곳에 있는 평범한 학교가 아닌 기숙 학교에 보냈을지 생각해 보세요.

3 조지 하케트는 도저히 못 말릴 사고뭉치 악동이고, 여자아이들을 싫어합니다. 그런데 만약 조지에게 좋아하는 여자아이가 생긴다면, 어떤 일이 일어날 것 같은가요? 각자 상상해서 이야기해 보세요.

HINT

자유롭게 상상해서 말해 보세요.

4 "누나들이 조지를 때리는 건, '사랑의 매' 이다." 라는 주장에 대해 여러분은 어떻게 생각하나요? 여러분의 주장에 따라서 옹호하거나 반대하는 논증을 만들어 보세요.

HINT

주장을 뒷받침하거나 반박하는 근거로 어떤 것이 있는지 생각해 보세요.

5 다음 글은 〈악동일기〉에 나오는 부분들입니다.

웬일인지 아버지는 한마디도 하지 않으셨어요. 그리고 식구들도 아무도 나를 야단치지 않았지요. 아침을 먹을 때 수잔 누나는 내게 두툼한 팬케이크를 건네주기까지 했습니다.

"조지야, 밤을 새느라 얼마나 피곤하겠니. 갓 구운 팬케이크라도 먹고 기운 내렴."

나는 먹음직스러워 보이는 팬케이크를 덥석 깨물었다가 퉤 뱉어 냈어요, 그건 솜에 달걀 물을 입혀 구운 가짜 팬케이크였거든요. 나만 빼고 온 식구가 얼굴이 벌게지도록 웃어 댔습니다. 그다지 보기 좋은 모습은 아니더군요.

–제5장

점점 더 배가 무지무지하게 고파 왔지만 내 주머니에는 1센트밖에 없었어요. 그 돈으로 사 먹을 수 있는 건 땅콩뿐이어서 나는 피터스 아저씨의 가게로 갔습니다.

"여, 조지! 땅콩으로 네 배가 다 차겠냐?"

그래서 나는 건포도랑 치즈랑 생강 과자를 잔뜩 먹고서 우리 집 앞으로 달아 놓았습니다. 피터스 아저씨는 참 말이 잘 통하는 사람이에요. 아저씨는 자기가 어릴 때는 나는 상대도 못 될 만큼 개구쟁이였다면서 무용담을 잔뜩 얘기해 주었습니다.

"그래서, 내가 그 얼빠진 남자에게 어떻게 해 줬느냐면 말이야……. 어! 저게 뭐지?”

가게 바닥에는 온통 시커먼 물이 흐르고 있었어요.

“설탕 시럽 통에 구멍이 난 거 아닐까요?”

치즈를 씹으면서 내 생각을 말하자 피터스 아저씨는 나를 째려보더니 다짜고짜 내 어깨를 잡고 흔들었어요.

“네가 몰래 통에 구멍을 뚫었지? 이 천하에 몹쓸 녀석 같으니라고!”

아저씨는 화를 내면서 날뛰다가 설탕 시럽을 밟고 미끄러져 벌러덩 넘어졌어요.

–제5장

윗글에서 나타난 ‘악동을 대하는 어른들의 이중적인 시선’을 분석해 보고, 그 분석을 바탕으로 ‘만우절의 의미’에 대하여 논술을 써 보세요.

HINT

제시문에 나타난 이중적인 시선이 어떠한 것인지에 대해서부터 정리해 보세요.

6 다 쓴 글을 친구나 부모님 앞에서 발표해 보세요. 그리고 듣는 사람이 고개를 끄덕이는지 아니면 고개를 갸우뚱하는지 반응도 살펴보세요. 발표가 끝난 후 평가도 부탁해 보세요.

가이드북

GUIDE BOOK

가이드북

작품의 전체 줄거리

조지 하케트는 열 살 생일 선물로 일기장을 받습니다. 일기장에는 조지의 하루하루가 적히기 시작하는데, 온통 심한 말썽과 장난뿐입니다. 조지는 가출을 하고, 총을 쏘고, 집을 부수는 등 도를 넘는 말썽을 부려 멀리 떨어진 기숙 학교에 보내집니다. 그러나 기숙 학교에서도 선생님의 가발을 태우고 교실의 유리창을 부수는 등 말썽을 피워 결국 퇴학을 당합니다. 집으로 돌아온 조지는 심한 장난으로 다시 마을의 골칫거리가 됩니다. 약국을 엉망으로 만들고, 다른 아이가 물에 빠져 죽을 위험에 처하게 하는 등 조지의 장난은 상상을 초월합니다. 급기야 혼자서 기구를 타고 외딴 섬에서 표류하다가 마을로 돌아온 사건으로 유명 인사가 됩니다. 그러나 틈틈이 누나들의 결혼에도 공을 세우고, 착한 아이가 되는 방법을 고민했던 조지는 착한 아이가 되겠다고 결심합니다.

〈악동 일기〉의 의미

1880년에 발표된 미국 작가 빅토리아 빅터의 작품으로 열 살 소년 조지 하케트가 쓴 일기 형식으로 이루어져 있습니다. 주인공 조지 하케트는 파격적인 캐릭터입니다. 보수적이었던 당시의 시선으로 볼 때뿐만이 아니라 오늘날의 시선으로 봐도 조지 하케트의 행동은 놀라움의 연속입니다. 마크 트웨인의 〈톰 소여의 모험〉, 〈허클베리 핀의 모험〉, 루트비히 토마의 〈악동 이야기〉, 아스트리드 린드그렌의 〈말괄량이 삐삐〉 등 악동이 등장하는 작품이 있지만, 그중에서도 조지 하케트는 가장 맹랑한 축에 드는 악동으로 독자에게 충격과 참을 수 없는 웃음을 선사합니다. 재치 있고 짓궂은 유머가 넘칠 뿐 아니라 따뜻한 느낌까지 담고 있는 이 작품은 세계 여러 나라에서 어린이들과 어린 시절을 그리워하는 어른들에게 사랑 받고 있습니다.

1-1 사고 영역 _ 사실적 이해

본문을 잘 읽었는지 확인하는 문제입니다.

조지 하케트가 만우절에 저지른 장난은 한두 개가 아니었지요. 우선 불이 났을 때만 울리는 마을 회관의 종을 울려 한밤중에 사람들이 다 거리로 뛰쳐나오게 만들었습니다. 그리고 닥터 무어에게 릴리 누나가 아프다는 전보를 보내서 헛걸음하게 만들었고, 베시 누나에게 전보국 아저씨 이름으로 꽃다발을 보내게 했지요. 물론 계산은 전보국 아저씨가 하게 만들었고요. 그러고도 모자라 피터스 아저씨 가게의 설탕 시럽 통에 구멍을 내고, 어머니의 지갑까지 슬쩍해서 큰 돈을 잃어버리게 만들었습니다.

1-2 사고 영역 _ 사실적 이해

본문을 잘 읽었는지 확인하는 문제입니다.

조지가 읍내 신문에 실리게 된 까닭은 혼자 기구를 타고 날아가 실종된 사건 때문이었지요. 실종 당시에 한 번 신문에 실렸고, 놀랍게도 무사히 돌아와서 다시 한 번 신문에 실렸습니다.

CHECKPOINT

본문을 잘 읽었는지 확인합니다.

2 사고 영역 _ 비판적 사고

작품 속에서 사건이 일어난 원인과 결과를 분석해 보면서 비판적 사고력을 기를 수 있습니다.

가까운 곳에 집에서 다닐 수 있는 학교가 있는데도 조지의 아버지가 아들을 멀리 떨어진 기숙 학교에 보낸 까닭은, 조지가 평범한 아이가 아니라 사고뭉치 악동이었기 때문입니다. 집에는 조지를 바로 잡아줄 수 있는 사람이 없었지요. 그래서 선택한 것이 기숙 학교였습니다.

모든 일상생활을 학교에서 해야 하는 기숙 학교는 지켜야 할 규율과 규제가 일반 학교보다 더 엄격합니다. 조지의 아버지는 강한 규율과 규제를 통해 조지가 말썽을 덜 부리는 얌전한 아이가 될 수도 있다는 희망을 가졌던 것입니다.

그러나 이 희망은 얼마 가지 않아서 물거품이 되고 말았습니다. 기숙 학교의 엄격한 규율로도 조지를 구속할 수 없었으며, 오히려 규칙만 강요하는 딱딱한 학교 분위기가 조지로 하여금 학교를 싫어하고 반발하게 만들었기 때문입니다.

CHECKPOINT

기숙 학교의 엄격한 분위기가 아버지에게는 희망이었으나, 조지에게는 반항심만 키워 줬다는 것을 이해할 수 있어야 합니다.

3 사고 영역 _ 창의적 사고

작품과 관련된 재미있는 화제에 대하여 다양하게 생각해 보면서 창의력을 기릅니다.

조지는 여자아이들을 우습게 생각하는 경향이 있습니다. 자기는 늘 누나들을 봐 와서 여자의 진짜 모습을 알고 있다고 생각합니다. 그런데 조지가 만약 어떤 여자아이를 좋아하게 되는 날이 온다면, 어떤 일이 생길 것 같은가요?

아마 조지는 이 일이 성숙의 계기가 되어 말썽을 부리는 것을 그만두고 조금 얌전해질 수도 있을 것입니다. 누군가를 좋아하게 되면, 그 사람의 시선에 신경 쓰게 되기 때문입니다. 이제까지는 천방지축으로 날뛰느라 늘 옷차림은 엉망에다 어른들에게는 핀잔이나 듣고 다녔지만, 좋아하는 여자아이 앞에서라면 멋지게 보이고 싶은 마음에 단정한 매무새와 사람들에게 좋은 평가를 듣는 모습을 보여 주고 싶어질 것입니다.

아니면, 오히려 여자아이에게 심술을 부리게 될 수도 있을 것입니다. 미성숙한 남자아이들 가운데는 좋아하는 여자아이를 놀리고 괴롭히는 것으로 자기 마음을 표현하는 어린이들도 있으니까요. 이런 경우 상대 여자아이에게는 악몽이 되겠지만요.

여러분은 어떻게 생각했나요? 여러분이 상상한 것을 이야기해 보세요.

CHECKPOINT

자유롭게 상상한 것을 이야기할 수 있도록 해 주세요.

4 사고 영역 _ 논리적 사고

주어진 주장을 옹호하거나 반대하는 논증을 만들어 보면서, 주장을 설득력 있게 구성하는 논술의 기초를 배우게 됩니다.

- **옹호하는 논증의 예** : 누나들이 만약 조지에게 애정과 관심이 없다면 누나들은 조지를 무시하면 그만이지 때리지 않았을 것입니다. 사랑의 마음이 바탕이 되었으므로 누나들이 조지를 때리는 것은 '사랑의 매' 입니다. 조지가 실종되었을 때 누나들은 무척 슬퍼했습니다. 이처럼 누나들의 행동은 조지를 사랑하는 마음에서 나오는 것이며 조지가 말썽을 피웠을 때 때리는 행동조차 조지를 위한 마음에서 나오는 사랑의 매인 것입니다.
- **반대하는 논증의 예** : 누나들이 조지를 사랑하는 것은 사실이지만 누나들의 매를 '사랑의 매' 라고 할 수는 없습니다. 사실상 '사랑의 매' 라고 부를 수 있을 만한 체벌은 존재하지 않습니다. 어떤 잘못을 했든 아이를 매로 다스리려 하는 것은 잘못된 행동입니다. 그것은 반항심만 키워줄 뿐입니다. 더구나 누나들이 조지의 뺨을 때리는 행동은 사랑이 아니라 분노에서 나옵니다. 그것은 조지의 말썽으로 피해를 입어서 상한 감정을 폭발시키는 분풀이에 가깝습니다. 이러한 매는 '사랑의 매' 는커녕 폭력입니다.

CHECKPOINT

주장을 뒷받침하는 타당하고 적절한 근거를 제시하는 것이 중요합니다.

5 사고 영역 _ 논리적 사고

제시문을 바탕으로 주어진 과제에 대하여 논술하는 문제입니다.

제시된 두 개의 상황은 모두 만우절에 벌어진 사건을 그리고 있는데, 첫 번째 부분은 어른들이 조지 하케트에게 장난을 치는 부분입니다. 이 부분에서 평소에 장난이라면 끔찍하게 생각했던 어른들은 마치 아이처럼 조지에게 유치한 장난을 치고 즐거워합니다. 두 번째 제시문에서 주목할 부분은 피터스 아저씨가 조지에게 자기의 어린 시절 무용담을 허풍을 떨면서 이야기하는 부분입니다. 이렇게 보면 악동에게 관대할 것 같지만 그는 막상 조지의 장난에 당하자 심하게 화를 냅니다. 그 역시 악동을 싫어하지만 어린 시절 자신의 악동 행각은 즐겁고 그리운 기억으로 기억하고 있습니다. 이렇게 제시문은 어른들이 자신이 악동이었던 어린 시절을 추억으로 간직하며 여전히 장난치기를 좋아한다는 것을 알려 줍니다.

그리고 이 지점에서 우리는 어른들이 악동을 보는 시선이 이중적인 까닭과 공식적으로 어른들에게도 장난이 허용되는 날인 '만우절'이 갖는 의미를 찾을 수 있게 됩니다. 어른에게는 말썽 없이 일상을 꾸려 나가야 할 현실적인 책임과 의무가 있고 그렇기 때문에 일상의 평화를 망치는 악동의 장난을 경계하고 싫어할 수밖에 없지만, 일 년에 하루쯤은 그리워하던 어린 시절로 돌아가고 싶은 법입니다.

CHECKPOINT

어른들이 악동을 싫어하면서도 그리워하는, 이중적인 태도를 갖게 되는 까닭을 설명하고 그것을 만우절의 의미로 연결시킬 수 있어야 합니다.

다음은 논술 5단계 문제에 대한 예시 글입니다. 지도에 참고하시기 바랍니다.

악동을 보는 어른들의 이중적인 시선과 만우절의 의미

〈악동일기〉에서 어른들은 조지 하케트의 장난을 끔찍하게 싫어합니다. 그들은 조지를 사랑하지만, 장난만큼은 결코 용서할 수 없는 일로 여깁니다. 어른에게 악동은 교육과 훈계를 통해서 반드시 바로잡아야 할 위험한 존재이지요.

그런데 제시된 글에서는 악동을 바라보는 어른들의 또 다른 태도가 나타나 있습니다. 만우절에 유치한 장난을 치고 즐거워 어쩔 줄 모르는 모습이나 자신의 어린 시절 악동 행각에 대하여 허풍을 섞어 자랑스럽게 이야기하는 모습은 악동을 교육하고 처벌하려 할 때와 전혀 상반된 모습입니다. 그들은 악동을 싫어하는 한편, 그들 내면에도 장난을 즐기는 악동의 모습을 간직하고 있으며 그 시절을 그리워하고 있기도 합니다.

그러나 어른들에게는 현실의 질서를 유지해야 할 책임과 사회적 체면이 먼저 존재합니다. 그래서 그들은 장난이 재미있고, 악동이 되고 싶으면서도 자신이 악동이 될 수는 없으며, 일상을 어지럽히는 악동을 경계하고 바로잡아야 한다는 이중적인 태도를 갖게 되는 것입니다.

그런데 어른들이 사회적 책임과 체면을 내려놓고 마음 놓고 장난을 칠 수 날이 일 년에 꼭 한 번 있는 만우절입니다. 이날만큼은 어른들도 악동처럼 장난을 치는 게 허용됩니다. 만우절은 현실적 책임에 속박되어 있는 어른들이 어렸던 악동 시절의 자유를 조금이나마 누릴 수 있는 날인 것입니다.

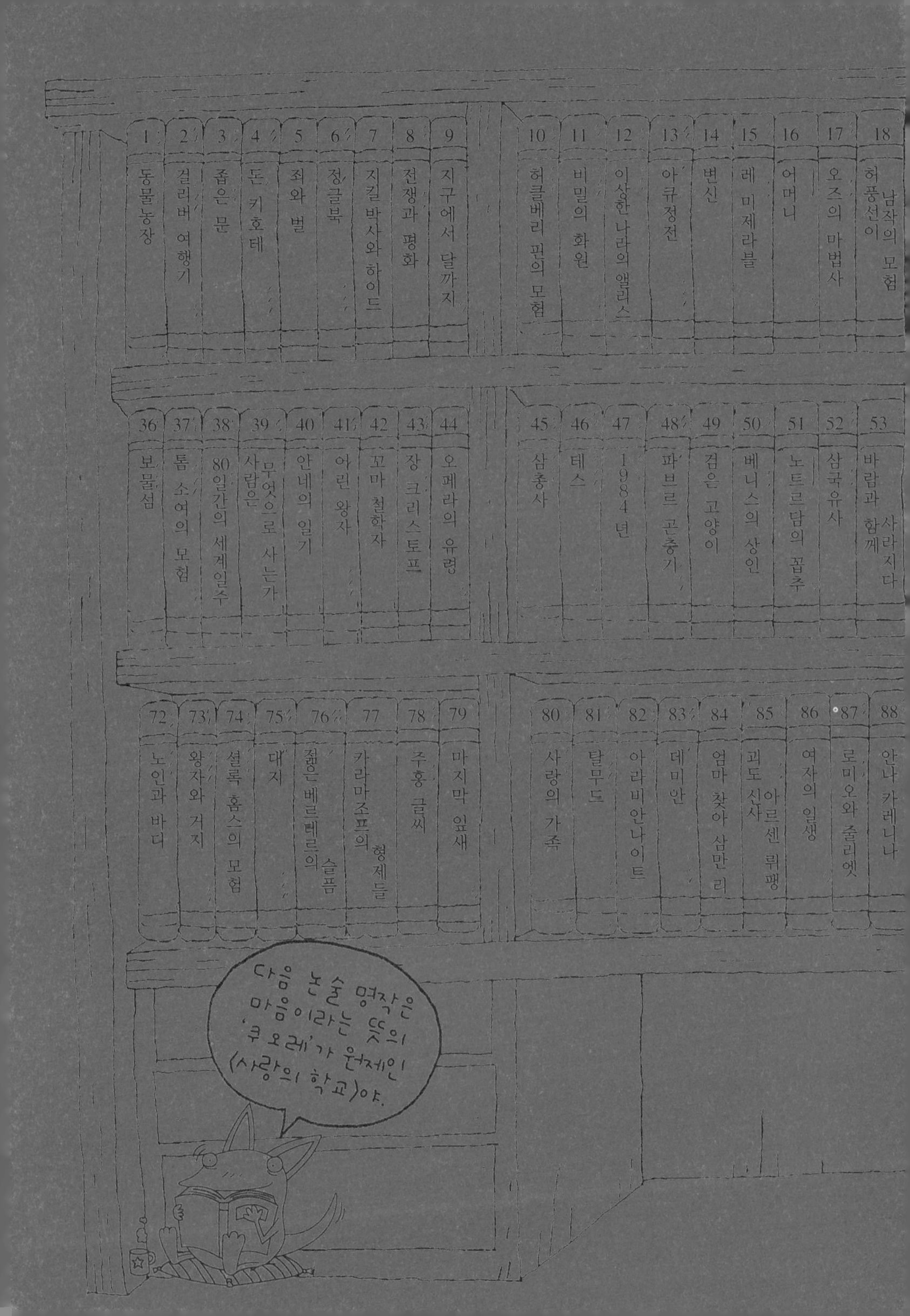
1 동물농장
2 걸리버 여행기
3 좁은 문
4 돈 키호테
5 죄와 벌
6 정글북
7 지킬 박사와 하이드
8 전쟁과 평화
9 지구에서 달까지
10 허클베리 핀의 모험
11 비밀의 화원
12 이상한 나라의 앨리스
13 아큐정전
14 변신
15 레 미제라블
16 어머니
17 오즈의 마법사
18 허풍선이 남작의 모험
36 보물섬
37 톰 소여의 모험
38 80일간의 세계일주
39 사람은 무엇으로 사는가
40 안네의 일기
41 어린 왕자
42 꼬마 철학자
43 장 크리스토프
44 오페라의 유령
45 삼총사
46 테스
47 1984년
48 파브르 곤충기
49 검은 고양이
50 베니스의 상인
51 노트르담의 꼽추
52 삼국유사
53 바람과 함께 사라지다
72 노인과 바다
73 왕자와 거지
74 셜록 홈스의 모험
75 대지
76 젊은 베르테르의 슬픔
77 카라마조프의 형제들
78 주홍 글씨
79 마지막 잎새
80 사랑의 가족
81 탈무드
82 아라비안나이트
83 데미안
84 엄마 찾아 삼만 리
85 괴도 신사 아르센 뤼팽
86 여자의 일생
87 로미오와 줄리엣
88 안나 카레니나
다음 논술 명작은 마음이라는 뜻의 '쿠오레'가 원제인 〈사랑의 학교〉야.

19 도련님
20 제인 에어
21 올리버 트위스트
22 피터 팬
23 위대한 개츠비
24 닐스의 이상한 모험
25 오만과 편견
26 로빈슨 크루소
27 홍당무
28 타임머신
29 파우스트
30 파랑새
31 톰 아저씨의 오두막
32 폭풍의 언덕
33 작은 아씨들
34 알프스 소녀 하이디
35 크리스마스 캐럴

54 열하일기
55 키다리 아저씨
56 해저 2만 리
57 별
58 적과 흑
59 압록강은 흐른다
60 시턴 동물기
61 도리언 그레이의 초상
62 난중일기
63 쿠오바디스
64 몬테크리스토 백작
65 빨간 머리 앤
66 15소년 표류기
67 구운몽
68 목로주점
69 부활
70 일리아드
71 모비 딕

89 사랑의 요정
90 눈의 여왕
91 말괄량이 길들이기
92 악동 일기

참다운 우정, 진정한 용기 등이 감동적으로 그려진 작품이란다.

주인공 엔리코가 학교 생활을 적어 나가는 일기 형식의 글이지.

나도 행복이 넘치는 사랑의 학교에서 공부했으면 좋겠어!

논술 명작 93

사랑의 학교